D1633285

NARUTO
masashi kishimoto
7
Kana
岸本斉史

ERSONNAGES PRINCIPAUX
SASUKE UCHIWA
NARUTO UZUMAKI
SAKURA HARUNO
EJI HYÛGA
ROCK LEE
TENTEN
KABUTO
SHIKAMARU NARA
IBA NUZUKA & AKA-MARU
HINATA HYÛGA
INO YAMANAKA
HINO ABURAME
CHÔJI AKIMICHI

RÉSUMÉ DES ÉPISODES PRÉCÉDENTS

LES NINJAS D'OTO NO KUNI

EN COMPAGNIE DE SASUKE ET DE SAKURA, NARUTO, LE PIRE GARNEMENT DE L'ÉCOLE DES NINJAS DU VILLAGE CACHÉ DE KONOHA, POURSUIT SON APPRENTISSAGE.
SUR L'INVITATION DE MAÎTRE KAKASHI, NARUTO ET SES COÉQUIPIERS SE SONT INSCRITS À L'EXAMEN DE SÉLECTION DES NINJAS DE "MOYENNE CLASSE". APRÈS AVOIR RÉUSSI L'ÉPREUVE ÉCRITE, LES CANDIDATS SE RENDENT SUR LES LIEUX DE LA SECONDE ÉPREUVE : "LA FORÊT DE LA MORT". DANS CETTE FORÊT AU NOM LUGUBRE, LES DIFFÉRENTES ÉQUIPES SE LIVRENT UNE LUTTE SANS MERCI POUR S'EMPARER DE ROULEAUX. C'EST À CE MOMENT QUE NARUTO ET SES COMPAGNONS SE FONT ATTAQUER PAR UN MYSTÉRIEUX NINJA NOMMÉ OROCHIMARU ! APRÈS AVOIR MIS K.O. NOTRE HÉROS, OROCHIMARU DÉPOSE UNE MARQUE MALÉFIQUE DANS LA NUQUE DE SASUKE ET DISPARAÎT... POURQUOI DIABLE A-T-IL FAIT ÇA ?! NARUTO ET SASUKE RESTANT INCONSCIENTS, SAKURA SE RETROUVE SEULE POUR AFFRONTER LE TRIO DE NINJAS D'OTO NO KUNI, LE PAYS DU SON !! LEE SURGIT À SON SECOURS, MAIS IL EST ÉGALEMENT MIS HORS D'ÉTAT DE SE BATTRE ! SAKURA DÉCIDE ALORS DE RIPOSTER AVEC TOUTE LA FUREUR DU DÉSESPOIR...

Sommaire

55e ÉPISODE : OFFENSIVE GÉNÉRALE !!

UUH...
55e ÉPISODE :
OFFENSIVE GÉNÉRALE !!
DÉCIDÉMENT, ÇA GROUILLE DANS LE COIN !
ALLONS BON... D'AUTRES VERMINES DE KONOHA ...
PARCE QU'IL N'EST PAS QUESTION QUE JE TE LAISSE...
... BRILLER SEULE DEVANT SASUKE !
SCRUTT
INO...
POURQUOI...?

QU'EST-CE QUI VOUS PREND ?! VOUS ÊTES PAS BIEN, VOUS DEUX ?!
C'EST PAS DES RIGOLOS, CES GARS-LÀ ! ILS VONT NOUS METTRE EN CHARPIE !
LÂCHE MON ÉCHARPE, SHIKAMARU !!!
GWIP
GWIP
COMPTE PAS LÀ-DESSUS, MON VIEUX ! MOI AUSSI, JE PRÉFÉRERAIS ÊTRE AILLEURS, MAIS ON N'A PAS LE CHOIX !
ON EST DES HOMMES, BON SANG ! ON NE VA PAS LAISSER INO SE BATTRE SEULE !

DÉSOLÉE DE VOUS AVOIR IMPLIQUÉS LÀ-DEDANS !
MAIS ON FORME UNE ÉQUIPE, IL ME SEMBLE. NOS DESTINS SONT LIÉS, NON ?
OUAIS... ADVIENNE QUE POURRA !
HÉ HÉ... TU PEUX DÉGAGER SI T'AS LA FROUSSE.
ON TE LAISSE FILER, GROS LARD !

JE NE SUIS PAS GROS !!
JE SUIS JUSTE UN TOUT PETIT PEU ENVELOPPE !!!
GRRR
ET PUIS D'ABORD, QU'EST-CE QUE T'AS CONTRE LES GROS ?!
LA GUERRE EST DÉCLARÉE ENTRE KONOHA ET OTO NO KUNI !!
SHWIP
VOUS L'AUREZ VOULU ! TANT PIS POUR VOUS !
FWAP
HOULÀ...
HUNG
COOL !♡ IL EST FURAX !
EH BEN... ON N'EST PAS SORTIS DE LA GALÈRE, AVEC ÇA...
FWAP

C'EST PLUTÔT VOUS QUI ALLEZ LE REGRETTER ...
NOUS DEVONS ÉLIMINER SASUKE AVANT LA FIN DE L'EXAMEN. PAS DE TEMPS À PERDRE AVEC EUX.

SAKURA ...!
!!

OCCUPE-TOI D'EUX, TU VEUX ?
OK !

ZAM
ALORS, ALLONS-Y, LES GARS !
OUAIS!!!

FORMATION "SANGLIER-CERF-PAPILLON" !
À TOI DE JOUER, CHÔJI !
DASH
OK !
DECUPLEMENT !!!
FWASH
POF
TECH-NIQUE NINJA DE DÉCU-PLEMENT
CETTE TECHNIQUE SECRÈTE, TRANSMISE DE GÉNÉRATION EN GÉNÉRATION AU SEIN DU CLAN AKIMICHI, PERMET D'HYPERTROPHIER TEMPORAIREMENT LE CORPS OU UNE PARTIE DE CELUI-CI. L'USAGE DE CETTE TECHNIQUE NÉCESSITE TOUTEFOIS UNE CONSOMMATION CALORIFIQUE IMPORTANTE.
TECHNIQUE KONOHA DU "BOULET HUMAIN" !!
SWOP
SWOP
SHWUUP
ZAM

SHRUUUUUUUUULLL
QU'EST-CE QUE C'EST QUE CETTE ATTAQUE DÉBILE...?
!
ONDES CINGLANTES !!
PEUH!!!
CE N'EST PAS UN GROS LARD QUI VA M'IMPRESSIONNER, MÊME S'IL SE MET EN BOULE !
SWUP
ZWOOOOM
GWUUUS
QUOI ?! IL A BONDI !!
BASH

MAIS JE NE PEUX PAS AVOIR RECOURS AUX ONDES SUPERSONIQUES...
À LA VITESSE OÙ IL VA, SI JE LE TOUCHAIS IL ME BRISERAIT LES OS.
SA VITESSE DE ROTATION EST TELLE QUE LA PRESSION DE L'AIR NE LUI FAIT AUCUN EFFET...
TSS !!!
PAS SI VITE !!!
LE PLUS À CRAINDRE DU TAS, C'EST TOI !
FWAP
DASH
NINPÔ ! TECHNIQUE DE "MANIPULATION D'OMBRES" !
ZWUUUSH

!!
HUNG ! QUE SE PASSE-T-IL ?!
ガクッ
SDUNG
QUOI ?! SON OMBRE S'EST ALLONGÉE...?!
ZWAP
SDOM
ドカ
STAP
ザッ
HUNG!!!
ZWAAAASH
スザザザ
バッ
FLAP
?!
QUE...?!
?!
DOSU ! À QUOI TU JOUES ?! C'EST PAS LE MOMENT DE FAIRE LE PITRE !

¡NO ! iL NE RESTE PLUS QUE LA FILLE ! OCCUPE-T'EN !
LA TECHNIQUE DE "MANIPULATION D'OMBRES" CETTE TECHNIQUE PERMET À SHIKAMARU D'ÉTENDRE SON OMBRE JUSQU'À CELLE DE SON ADVERSAIRE ET DE PRENDRE AINSI LE CONTRÔLE DES MOUVEMENTS DE CELUI-CI. TOUTEFOIS, L'UTILISATION DE CETTE TECHNIQUE EST LIMITÉE DANS LE TEMPS.

OK ! VEILLE SUR MON CORPS, TU VEUX BIEN ? ♡
NINPÔ ! TRANSPOSITION !!
OK !!!
ZUM
HOP !
FLUP
WOP

ビクン

FWISH

BWEUUH !
J'AI LA TÊTE QUI TOURNE ...

Si VOUS TENEZ À LA ViE, POSEZ VOTRE PARCHEMIN PAR TERRE, ET FiLEZ !
NE BOUGEZ PLUS ! UN PAS DE PLUS, ET JE TRANSPERCE LA GORGE DE VOTRE ÉQUiPiÈRE !
BRRR
BRRR
JE LA LiBÈRERAi QUAND JE NE SENTiRAi PLUS LA PRÉSENCE DE VOTRE CHAKRA DANS LES PARAGES !
Smile

C'EST FiNi !

POURQUOi SOURiENT-iLS... ?

Smile

?!

SWUP
AH !

iNO ! ATTENTiON !!!
!!

WAAH !!!
KYAAAA !!!
ZWOOSH
ズゴッ
ドカ
UURGH !!!
SDOM
!!
iNO !!!
FSHUUF
NOUS N'AVONS RiEN À FAiRE DE CES PARCHEMINS ...
... Ni DE CE STUPiDE EXAMEN !
PEUH ! POUR QUi NOUS PRENDS-TU ?!
LES ORDURES ...
iLS N'HÉSiTENT PAS À BLESSER LEUR PARTENAiRE ...!

?!

!

!

?!

C'EST SASUKE, NOTRE OBJECTIF !

OUPS...
JE NE VAIS PAS POUVOIR TENIR PLUS LONG-TEMPS...

APPAREMMENT, VOTRE PETITE COPINE A TRANSFÉRÉ SON ESPRIT DANS LE CORPS DE KIN, GRÂCE À UNE TECHNIQUE DE TRANSPOSITION...
!
HÉ HÉ HÉ... MAIS À VOIR CE FILET DE SANG QUI COULE DE SA BOUCHE, J'AI L'IMPRESSION QU'IL SUFFIT DE TUER KIN POUR QU'ELLE MEURE AUSSI...

PEUH... JE NE PENSAIS PAS QUE LES BOUSEUX D'OTO NO KUNI ÉTAIENT DE TELS MINABLES...

!
OH... TA TECHNIQUE NE DURE PAS PLUS DE 5 MINUTES, HEIN ?
WUSH

DOM

VOUS VOUS CROYEZ FORTS...

... EN VOUS ACHARNANT SUR CES NINJAS DE TROISIÈME ZONE ?

ALLONS BON... VOICI D'AUTRES CAFARDS...

JE N'APPRÉCIE PAS TELLEMENT CE QUE VOUS LUI AVEZ FAIT !
KZZIM

!!

!!
SES YEUX... ON DIRAIT QU'IL PEUT TOUT TRANSPERCER DE SON REGARD...
GWUSH

SI VOUS NE FOUTEZ PAS LE CAMP TOUT DE SUITE...
... VOUS ALLEZ AVOIR AFFAIRE À MOI !

HUM !
D'OÙ VIENT CE FLUX DE CHAKRA ...?

HE HE HE... AH OUAIS ?
ALORS, COMMENCE DONC PAR DESCENDRE DE TON PERCHOIR !

.....!!
NON.

JE CROIS BIEN QUE...
... CE NE SERA PAS LA PEINE.

?

HNNG
!!
SASUKE !! TU AS REPRIS TES ESPRITS ...?!

!
AH...?

!
...
...

...
QUE... QU'EST-CE QUE... ?

SAKURA...

...
SASUKE...

RÉPONDS-MOI...

WOOOSH

QUI EST-CE QUI T'A MISE DANS CET ÉTAT... ?

LE PETIT MONDE DE MASASHI KISHIMOTO
Enfance 1

JE SUIS NÉ EN 1974, DANS UNE PETITE VILLE DU DÉPARTEMENT D'OKAYAMA, QUELQUES MINUTES AVANT MON FRÈRE JUMEAU. NOUS ÉTIONS PRÉMATURÉS, SI BIEN QU'IL A FALLU NOUS PLACER DIRECTEMENT EN COUVEUSE. SANS COUVEUSE, NOUS N'AURIONS PAS SURVÉCU. MERCI LA SCIENCE !

POUR NOTRE PREMIER ANNIVERSAIRE, ON NOUS A FIXÉ DU MOCHI* SUR LE DOS ET TROIS OBJETS FURENT DÉPOSÉS DEVANT NOUS. C'EST LA COUTUME DANS MA RÉGION. ON PRÉTEND QUE L'ON PEUT CONNAÎTRE L'AVENIR D'UN BÉBÉ EN FONCTION DE L'OBJET QU'IL CHOISIT AU COURS DE CE PETIT RITUEL.

*MOCHI : GÂTEAU DE RIZ GLUANT.

MES PARENTS AVAIENT DISPOSÉ, DEVANT MON FRÈRE ET MOI, UN ABAQUE, UN PINCEAU, ET QUELQUES BILLETS. MON FRÈRE N'A PAS HÉSITÉ UN SEUL INSTANT ET S'EST JETÉ DIRECTEMENT SUR L'ARGENT. MOI, IL PARAÎT QU'APRÈS QUELQUES HÉSITATIONS, J'AI PRIS LE PINCEAU. ET JUSTE ENSUITE, J'AI PRIS LES BILLETS, CE QUI, APPAREMMENT, A BIEN FAIT RIRE TOUT LE MONDE. QUEL SALE GARNEMENT ! MÊME SI J'AI ÉTÉ ATTIRÉ PAR L'ARGENT À CE MOMENT-LÀ, EN GRANDISSANT, C'EST VERS LE DESSIN QUE MON INTÉRÊT S'EST PORTÉ. ET IL EN VA DE MÊME POUR MON FRÈRE.

DANS LA MAISON OÙ NOUS AVONS GRANDI, IL Y AVAIT UN MUR TÂCHÉ PAR DEUX ÉNORMES MARQUES MARRON. UN JOUR, INTRIGUÉ, J'AI DEMANDÉ À MES PARENTS D'OÙ VENAIENT CES TÂCHES. ET BIEN, EN FAIT, C'EST MOI QUI, LORSQUE J'ÉTAIS BÉBÉ, M'ÉTAIS AMUSÉ À FAIRE DES GRAFFITIS AVEC UNE SUBSTANCE MALLÉABLE S'ÉCHAPPANT DE MA COUCHE... MA MÈRE A EU BEAU FROTTER ENCORE ET ENCORE, ELLE N'A JAMAIS PU FAIRE DISPARAÎTRE COMPLÈTEMENT LES MARQUES !

EN ENTENDANT CETTE HISTOIRE, JE ME SUIS DIT QUE MA PASSION POUR LE DESSIN REMONTAIT VRAIMENT À MON PLUS JEUNE ÂGE !

56e ÉPISODE : DE NOUVEAUX POUVOIRS !!

SASUKE!!

QUE T'ARRIVE-T-IL...?!

C'EST LUI QUI M'A DONNÉ CETTE PUISSANCE.
COMMENT ?
STAP

J'AI ENFIN COMPRIS.
JE DOIS OBÉIR À MON DÉSIR DE VENGEANCE...

JE N'AI PAS D'AUTRE CHOIX QUE D'ACCROÎTRE MA FORCE...
... MÊME SI, POUR CELA, JE DOIS PACTISER AVEC LE DÉMON...

JE COMPRENDS MIEUX MAINTENANT...
LA MARQUE DANS LE COU DONT PARLAIT CETTE FILLE, N'EST AUTRE QUE LE SCEAU D'OROCHIMARU...
MAIS COMMENT A-T-IL PU SE RELEVER...?

ALORS...
À NOUS, MAINTENANT...

TSS !!!

!!
QUOI ?!

INO ! NE RESTE PAS DANS LE CORPS DE CETTE FILLE ! DÉPÊCHE-TOI DE REGAGNER LE TIEN !!

DASH
CHÔJI ! SUIS-MOI ! ON SE MET À L'ABRI !

V... VITE !!
RUPTURE !!!
FWAP

UUH...
HNNG...
!
OUF !!!
TU AS EU LE TEMPS DE REVENIR !

UUH...

!
OH... BON SANG...

FWOOOSH

SON CHAKRA NE CESSE D'AUGMENTER !
UNE TELLE CONCENTRATION... C'EST IMPOSSIBLE...

FWASH
DOSU ! ÇA N'TE RESSEMBLE PAS DE FLIPPER DEVANT UN ESTROPIÉ !!
!

ZAKU ! NON !
NE FAIS PAS ÇA !
!!
BWOSH
ONDES CINGLANTES PUISSANCE ULTIME !!

BWOOSH
ZWUUSH
HUNG!!!
WAAAH!!!
HÉ HÉ !
IL A ÉTÉ LITTÉRALEMENT PULVÉRISÉ !
HAA
HAA
HAA
HAA
HAA
DE QUI TU PARLES ?

FWISH
!!
SDAM
URGH !!!
QUELLE RAPIDITÉ !!!
IL A MÊME EU LE TEMPS DE PRENDRE LES DEUX AUTRES AVEC LUI...
ZWAASH
GWUP
KATON ! TECHNIQUE DE LA BALSAMINE !!!
FWOOSH

!!
!!
ZWAP
T'EMBALLE PAS !!
JE VAIS LES SOUFFLER, TES FLAMMÈCHES !!
ZWUSH
BUOOOM
!!
QUOI ?!
DES SHURIKENS ÉTAIENT CACHÉS DANS LES FLAMMES !!!
GWAAH
STAK
STAK

!!

ZAKU !! EN BAS !!

HEIN...?

PASH

パシィ

!!

ドカ

SDOM

DOM

UUNGH...!

...

QUELLE INCROYABLE QUANTITÉ DE CHAKRA... C'EST BIEN PLUS QUE QUAND IL ÉTAIT À L'ACADÉMIE !!!
SASUKE... QUE LUI EST-IL ARRIVÉ ? JE NE LE RECONNAIS PLUS...

TU VIENDRAS ME TROUVER, SASUKE ...

HE HE HE... ATTENTION, ÇA VA FAIRE MAL...
!

GWUTCH
グッ
グッ
GWUTCH
!!
...!!!
Scrniitch
ゴキ
ボキ
Scrniitch
UUAAAARGH!!!
ドサ
BLOM

!!
!!
!!
U... UUH...
MON DIEU...
ON DIRAIT QU'IL NE RESTE PLUS QUE TOI...
!!
J'ESPÈRE QUE TU AURAS UN PEU PLUS DE RÉPONDANT...
STAP
...!!!...
CE N'EST PAS VRAI...

CE N'EST PAS SASUKE !!!

ARRÊTE !!

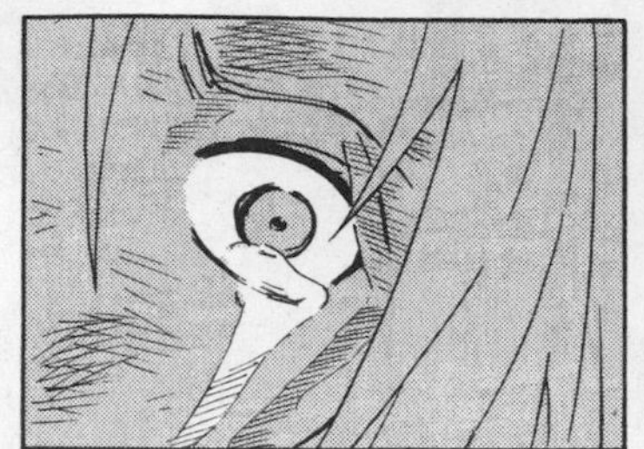

JE T'EN PRIE...
ARRÊTE CE MASSACRE...

...

SWUUSH
スゥ…

UNGH…
SASUKE!!!
BLOM

LA MARQUE S'ES-TOMPE…
OUF ! JE L'AI ÉCHAPPÉ BELLE…

TU ES TRÈS FORT…
!!
!!

SASUKE…
NOUS DEVONS RECONNAÎTRE QUE NOUS NE SOMMES PAS DE TAILLE, FACE À TOI…

TERRE
FWUP

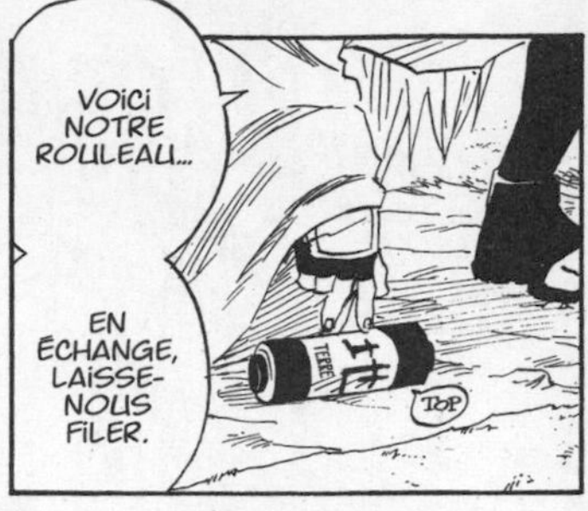
VOICI NOTRE ROULEAU...
EN ÉCHANGE, LAISSE-NOUS FILER.
TOP

TU DOIS PENSER QUE JE NE MANQUE PAS DE TOUPET POUR TE PROPOSER CE MARCHÉ...
... MAIS IL Y A QUELQUE CHOSE QUE NOUS DEVONS VÉRIFIER.
UUH...
EN CONTREPARTIE, JE TE FAIS UNE PROMESSE.
SI NOUS SOMMES AMENÉS À NOUS AFFRONTER À NOUVEAU DURANT CETTE ÉPREUVE, SOIS ASSURÉ QUE NOUS NE FUIRONS PAS ET QUE NOUS N'ESSAIERONS PAS DE T'ATTAQUER PAR SURPRISE.

!
HAA
HAA
HAA

STAP
STAP

PAS SI VITE !!

QUI EST CET OROCHIMARU ?
ET QU'A-T-IL FAIT À SASUKE ?!
C'EST QUOI, CETTE MARQUE QU'IL LUI A LAISSÉE ?!

NOUS L'IGNORONS.
NOTRE MISSION ÉTAIT TOUT SIMPLEMENT DE TUER SASUKE. NOUS NE SAVONS RIEN DE PLUS.

IL NOUS A DONNÉ L'ORDRE DE LE TUER, ET POURTANT, IL L'A RENCONTRÉ AVANT NOUS...
NON SEULEMENT, IL L'A LAISSÉ EN VIE, MAIS EN PLUS, IL LUI A APPLIQUÉ SA MARQUE...
QU'A-T-IL DERRIÈRE LA TÊTE ?!...

STAP
ザッ

...

HEY ! TOUT VA BIEN ?!
Frsh
QUELLE GALÈRE ! INO, OCCUPE-TOI DE LEE !
Frsh

QUELLE QUANTITÉ DE CHAKRA HORS DU COMMUN !!!
JE NE PENSAIS PAS QUE LES MEMBRES DE LA LIGNÉE UCHIWA ÉTAIENT SI PUISSANTS...

QUE M'EST-IL ARRIVÉ...?
SASUKE...

N'AIE PAS PEUR, SAKURA ! JE TE PROTÉGERAI !!!

QU'EST-CE QU'ON FAIT DE LUI ?
ON LE RÉVEILLE À COUPS DE LATTE ?
ÇA ME PARAÎT UNE BONNE IDÉE.

57e ÉPISODE :
10 HEURES AVANT L'ÉCHÉANCE !!

SLOTCH
GYAAAAAAH!!!
AH !
!

SCRUTT SCRUTT
キョロキョロ
OÙ EST-IL PASSÉ... ?
...!
PLANQUEZ-VOUS !! TOUS À TERRE !!
ズズッ..
ZWUUP
OÙ EST-IL PASSÉ ?! VOUS L'AVEZ VU ?!
GLUPS
!
!
NARUTO...
L'AUTRE IMBÉCILE A ENFIN REPRIS SES ESPRITS...
POM
ビクッ!!

J'AIMERAIS SAVOIR COMMENT TU FAIS POUR ÊTRE AUSSI CRÉTIN... ?

TOP ツッ

TOP ツッ

...

ZA
ザッ

AH !
ÇA...
TAP
タッ
SAKURA...! TES CHEVEUX !

FWIP FWIP
ファイファイ
J'AI DÉCIDÉ DE CHANGER DE LOOK ...
RIEN DE PLUS !

...

...

JE LES PRÉFÉRAIS LONGS, MAIS...
... CE N'ÉTAIT PAS TRÈS PRATIQUE POUR BOUGER, DANS CETTE FORÊT.
STAP
ザッ
HUUUUM !

ET VOUS ?
QU'EST-CE QUE VOUS FAITES LÀ ?
PEUH !
TROP GALÈRE À T'EXPLIQUER !!!

...

iLS SONT VENUS À NOTRE SECOURS, NARUTO.

!
STAP

PEUH... LÀ, ELLE SE LA JOUE UN PEU TROP À MON GOÛT...

SWUP
JE M'OCCUPE DE LUi.

FWUM FWUM
ALLEZ, LEE ! RÉVEILLE-TOi !!
UU... UNGH ...
HMM...
AH... TENTEN... QU'EST-CE QUE TU FAiS LÀ ?
ON EST VENUS À TA RECHERCHE, iDiOT !

OÙ SONT PASSÉS LES NINJAS D'OTO NO KUNI... ?
CE GARÇON, LÀ-BAS, SASUKE... IL LES A CHASSÉS.

...
JE VOIS...

QU'EST-CE QU'IL T'A PRIS D'AGIR SEUL, SANS NOUS PRÉVENIR ?!
TU T'ES PRIS UNE RACLÉE, EN PLUS !!!
SA... SAKURA ÉTAIT EN DANGER, ALORS JE...

BON SANG ...!
DIRE QU'EN "UN CONTRE UN", AUCUN DE CES TYPES N'AURAIT FAIT LE POIDS CONTRE LEE !

!
...

TU ES VRAIMENT LE DERNIER DES IMBÉCILES, HEIN !!
PARDON... JE SUIS IMPARDON-NABLE...
Sniiif

AAH!!!
WHAM
MAIS C'EST "GROS SOURCILS" !!!
!

SOIS POLI QUAND TU T'ADRESSES À LEE !!
!
SDOM
OUURGH!!!

SBLATCH

OUUH
うる
OUUH
うる
...
SAKURA...

HÉLAS, JE N'AI PAS ÉTÉ À LA HAUTEUR.

SASUKE ...
!

JE RECONNAIS LA SUPÉRIORITÉ DE LA LIGNÉE UCHIWA...
TU ES TRÈS FORT... TU T'ES DÉBARRASSÉ TOUT SEUL DES NINJAS D'OTO NO KUNI...
MOI, JE ME SUIS FAIT MISÉRA-BLEMENT ÉCRASER.

COMMENT ?!
CES TYPES ONT ÉCRASÉ LEE ?!

QU'EST-CE QUE ÇA VEUT DIRE...?
ILS ÉTAIENT DONC SI FORTS QUE ÇA...?

SAKURA...
!

LA FLEUR DE LOTUS DE KONOHA S'ÉPANOUIRA À NOUVEAU.
?

LA PROCHAINE FOIS QUE NOUS NOUS RENCONTRERONS, JE SERAI PLUS FORT !
JE TE LE PROMETS !

...

...
D'ACCORD !!!

PEUH !
...

HEY ! VIENS PAR ICI, SAKURA !
?!

JE VAIS ARRANGER TES CHEVEUX !

...

C'EST TRÈS GENTIL À TOI...

SLAP
サク...

DIS DONC ! C'EST PAS FAIR-PLAY CE QUE T'AS FAIT !
PROFITER DE LA SITUATION POUR SERRER SASUKE DANS TES BRAS !!
SASUKE
C'EST CE QUI S'APPELLE "PRENDRE LES DEVANTS", MA VIEILLE ! J'ALLAIS PAS ME GÊNER !
ずーん
ZUZUUM

UCHIWA...

UN ADVERSAIRE DONT IL FAUT SE MÉFIER...

UNE DIZAINE D'HEURES AUPARAVANT (1RE JOURNÉE : 20 HEURES APRÈS LE DÉBUT DE L'ÉPREUVE)

H———ZAAAA

ガサ‥

FRSSHH

!

HAA

HAA

GRRROOÂÂÂR

GRRROÂÂÂR

HAA
TSS... COMME SI C'ÉTAIT LE MOMENT...
HAA

GRRRR

GROAAAAAAR!!!
WUSH

!!

STOP
?
UN SORT DE PÉTRIFICATION ?
OH...
STOP
GRRRR
STOP

BRR
BRR
ENFIN, ON TE TROUVE, ANKO.
BRR
EH BEN !!!
ELLES SONT BELLES, LES ÉQUIPES D'ÉLITE ! VOUS EN AVEZ MIS, DU TEMPS !

LA MARQUE DANS TON COU... ELLE... ELLE RESSORT...
BON SANG ...!!

GWUP

OROCHIMARU EST LÀ ?!

BON ! ON T'EMMÈNE CHEZ LE MAÎTRE HOKAGE !
ZUP
スッ
NON... ALLONS À LA TOUR...

NE DIS PAS N'IMPORTE QUOI !!
SI OROCHIMARU EST DANS LE VILLAGE, IL FAUT PROCLAMER L'ÉTAT D'URGENCE !
IL FAUT INTERROMPRE L'EXAMEN !

JE VOUS EXPLIQUERAI TOUT, UNE FOIS QUE NOUS SERONS À LA TOUR...
PRÉVENEZ LE MAÎTRE HOKAGE... DITES-LUI DE NOUS Y REJOINDRE ...

L'HEURE EST GRAVE, C'EST VRAI !
MAIS NOUS NE POUVONS PAS INTERROMPRE L'EXAMEN !
POURQUOI DONC ?

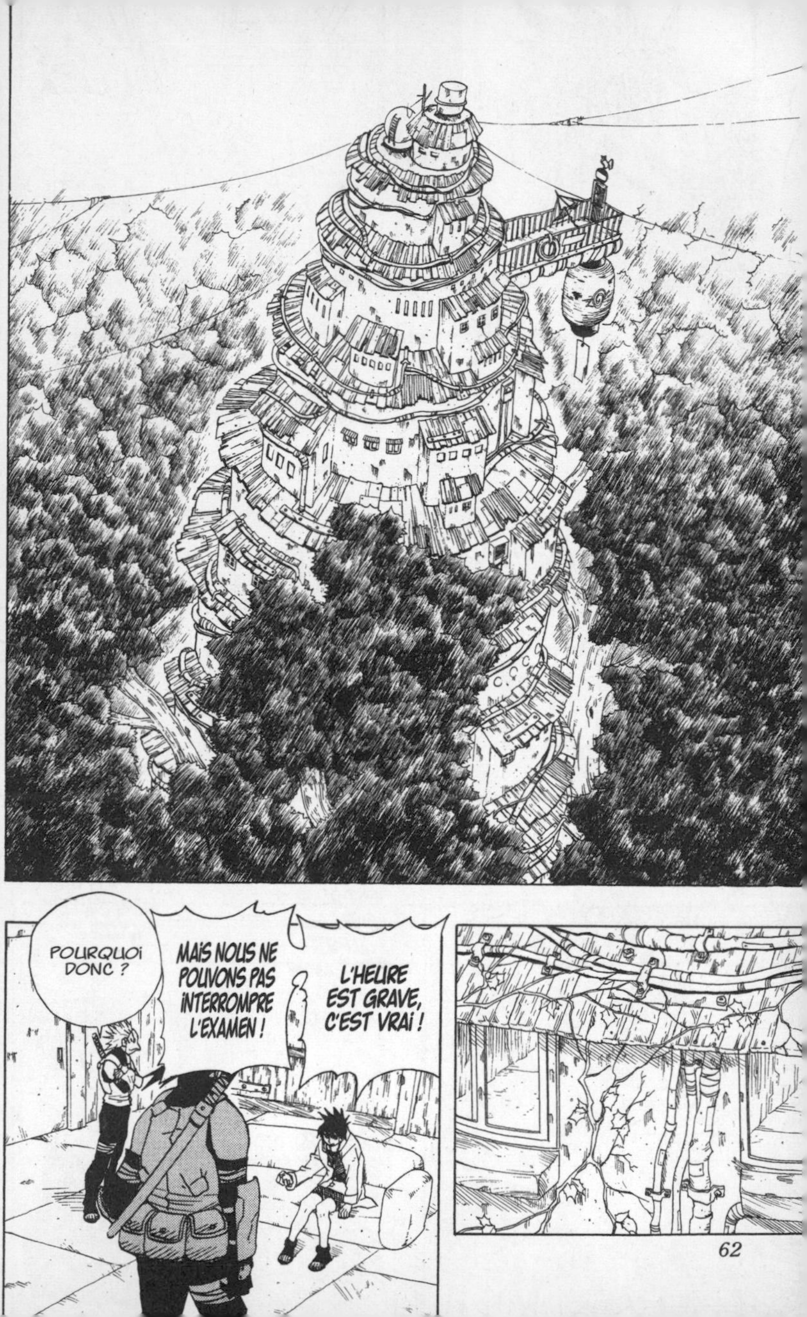

VLAM

ガラッ

NOUS VOUS ATTENDIONS, MAITRE ANKO !

VENEZ VITE ! IL FAUT QUE JE VOUS MONTRE QUELQUE CHOSE !

!

QUE SE PASSE-T-IL ?!

HAA

J'ESPÈRE QUE C'EST ASSEZ IMPORTANT POUR QUE TU INTERROMPES NOTRE CONVERSATION !!!

SWUP

ズッ

VOUS COMPRENDREZ EN VOYANT CE QU'IL Y A LÀ-DESSUS !!

SHUP

ズッ

REGARDEZ BIEN L'HEURE QUI EST AFFICHÉE DANS LE COIN SUPÉRIEUR DROIT !

!

QU'EST-CE QUE ...

16:09

CES IMAGES ONT ÉTÉ FILMÉES AU PIED DE LA TOUR, 1 HEURE ET 37 MINUTES APRÈS LE DÉBUT DE L'ÉPREUVE !!!

L'ÉQUIPE DE SUNA NO KUNI...
...
C'EST IMPOSSIBLE...

... A FRANCHI LA DEUXIÈME ÉPREUVE !

IL LEUR A FALLU SEULEMENT 97 MINUTES ...
C'EST DU JAMAIS VU...
IL Y A QUELQUE CHOSE QUI CLOCHE !

LE PETIT MONDE DE MASASHI KISHIMOTO
Enfance 2

QUAND JE SUIS ENTRÉ EN MATERNELLE, J'AI COMMENCÉ À M'INTÉRESSER À PLEIN DE CHOSES. IL M'ARRIVAIT FRÉQUEMMENT DE TOMBER EN CONTEMPLATION DEVANT UN INSECTE OU LE COURS D'UNE RIVIÈRE. PLONGÉ DANS MON OBSERVATION, J'EN OUBLIAIS TOUT LE RESTE. MA MÈRE ET LES MAÎTRESSES DE LA MATERNELLE ÉTAIENT, PARAÎT-IL, BIEN EMBÊTÉES ET ELLES ONT ARPENTÉ LES RUES À MA RECHERCHE, PLUS D'UNE FOIS.

À LA MAISON, C'ÉTAIT PAREIL. IL PARAÎT QUE J'ÉTAIS HYPER CONCENTRÉ EN REGARDANT LA TÉLÉ, À TEL POINT QUE, QUAND MON PÈRE VOULAIT ME PARLER, IL DEVAIT SE METTRE DEVANT LE TÉLÉVISEUR. ET MÊME QUAND IL FAISAIT ÇA, MON REGARD RESTAIT FIXÉ SUR L'ÉCRAN. VRAISEMBLABLEMENT, MON VISAGE FAISAIT UN PEU PEUR DANS CES MOMENTS-LÀ (DIXIT MON PÈRE, QUI ÉTAIT JALOUX DE LA TÉLÉ).

À CETTE ÉPOQUE, J'ÉTAIS LITTÉRALEMENT FASCINÉ PAR LES PROGRAMMES TÉLÉVISÉS. EN PARTICULIER PAR "DORAEMON". J'ÉTAIS SI PASSIONNÉ PAR DORAEMON, QUE JE LE DESSINAIS ABSOLUMENT PARTOUT. MES PETITS CAMARADES DE LA MATERNELLE CONNAISSAIENT TOUS MA FOLIE, ET NOUS DESSINIONS SOUVENT TOUS ENSEMBLE, MAIS IL Y A UNE CHOSE QUE JE NE POUVAIS PAS SUPPORTER : C'ÉTAIT L'ERREUR QUE TOUT LE MONDE FAISAIT EN DESSINANT LES YEUX DE DORAEMON (CF. LES DESSINS PLUS BAS). TOUS MES COPAINS LES DESSINAIENT COMME SUR LE DESSIN N° 2, ALORS QUE ÇA N'A RIEN À VOIR ! C'EST LE DESSIN N° 1 QUI EST CORRECT ! J'AVAIS BEAU LEUR EXPLIQUER, PERSONNE N'ÉTAIT CONVAINCU, ET ÇA FINISSAIT SOUVENT EN BAGARRE. LORSQUE J'Y REPENSE, JE ME DIS QUE J'ÉTAIS VRAIMENT UN VILAIN GARNEMENT POUR EMBÊTER TOUT LE MONDE AVEC DES DÉTAILS PAREILS...

(DORAEMON : PERSONNAGE CRÉÉ PAR FUJIKO FUJIO. DORAEMON EST UN CHAT-ROBOT VENU DU FUTUR, QUI DISPOSE D'UNE POCHE MAGIQUE D'OÙ IL PEUT FAIRE SORTIR TOUTES SORTES D'OBJETS FABULEUX. AUCUN JAPONAIS N'IGNORE LES AVENTURES DE DORAEMON.)

AKAMARU
AKAMARU
3 Mois
ZZZ
AKAMARU
58e ÉPISODE :
LES TÉMOINS !!

CES TROIS-LÀ ONT UN NIVEAU BIEN PLUS AVANCÉ QUE LES ASPIRANTS NINJAS NORMAUX.
LE RECORD DE VITESSE POUR CETTE ÉPREUVE ÉTAIT DE 4 HEURES. ILS L'ONT PULVÉRISÉ...

ET CE N'EST PAS TOUT ...
!
(HAA)
(HAA)

...
QUE VOULEZ-VOUS DIRE ?

IL Y A 10 KM QUI SÉPARENT CETTE TOUR DES PORTES D'ENTRÉE PLACÉES À L'ORÉE DE LA FORÊT ...
LE CHEMIN EST DES PLUS DANGEREUX, PARSEMÉ DE BÊTES FÉROCES ET D'INSECTES VENIMEUX ...
ILS ONT TRAVERSÉ CES BOIS COMME SI ÇA NE PRÉSENTAIT PAS LA MOINDRE DIFFICULTÉ.

EN PARTICULIER, LE GARÇON AUX CHEVEUX DÉCOLORÉS QUI SE TROUVE AU PREMIER PLAN...
QU'A-T-IL DE SPÉCIAL...?

VOUS NE REMARQUEZ RIEN ?

!
HMM...

JE VOIS... EN EFFET, C'EST TRÈS SURPRENANT...

?!

JE NE COMPRENDS PAS. EXPLIQUEZ-MOI.

OBSERVE-LE BIEN... DES PIEDS À LA TÊTE...

...
AH ! J'Y SUIS...

IL N'A PAS LA MOINDRE ÉGRATIGNURE.
PAS MÊME LA MOINDRE PETITE TÂCHE DE BOUE SUR SES VÊTEMENTS.

ALORS QUE POUR MOI, OU POUR N'IMPORTE QUEL AUTRE NINJA DE MOYENNE CLASSE...
... IL SERAIT IMPOSSIBLE DE TRAVERSER CETTE FORÊT INDEMNE.

IL DOIT AVOIR DES POUVOIRS SPÉCIAUX QUI EXPLIQUENT CELA.
ÇA FAIT LONGTEMPS QUE NOUS N'AVIONS PAS EU UN ÉLÉMENT SI PROMET-TEUR.
MÊME SI JE N'AIME PAS TROP SON REGARD...

À PRÉSENT, REMONTONS LE TEMPS, ET OBSERVONS CE QUI S'EST PASSE AVANT MÊME L'HEURE INDIQUÉE SUR LA VIDÉO...

1re JOURNÉE - 50 MINUTES APRÈS LE DÉBUT DE LA SECONDE ÉPREUVE

BON ! TRÈS BIEN ! PFF !

...
J'ESPÈRE QU'IL N'EST RIEN ARRIVÉ À NARUTO...

SNIIFF
SNIIFF
!!
SNIIFF SNIIFF

STOP !
ON S'ARRÊTE LÀ !
!
!
STAP

?!

?!
STAP

STAP
ON PREND DES PRÉCAUTIONS. C'EST BIEN ÇA QUE VOUS VOULEZ, NON ?
HINATA ! DIS-MOI SI TU ARRIVES À VOIR QUELQUE CHOSE À 1 KM DANS CETTE DIRECTION !

D'ACCORD... JE VAIS ESSAYER...
SWUP

BYAKUGAN!!!

FWASH

ZWUUSH

PARFAIT ! ALLONS JETER UN OEIL !
!
!

COMMENT?

QU'EST-CE QUE TU RACONTES, KIBA ? ON NE PEUT PAS FAIRE ÇA !

L'EXAMINATRICE A DIT DE SE RENDRE À LA TOUR AVEC UN ROULEAU DE CHAQUE SORTE.
MAIS ELLE NE NOUS A PAS INTERDIT D'EN PRENDRE PLUS D'UN !
PLUS NOUS EN FAUCHERONS...
... MOINS NOUS AURONS DE CONCURRENTS À L'ÉPREUVE SUIVANTE !

M... MAIS...
COMMENCONS DÉJÀ PAR ALLER VOIR.
SI C'EST TROP DANGEREUX, ON LAISSERA TOMBER !

ALLEZ ! C'EST PARTI !
STAP
CE QU'IL M'ÉNERVE, QUAND IL EST COMME ÇA...
!!

FRSSH
FRSSH

BRR
BRR
GNUUU...

!
QU'EST-CE QU'IL Y A, AKAMARU...?
STAP
QUE SE PASSE-T-IL ?
POURQUOI T'ARRÊTES-TU BRUSQUEMENT ?
STAP
BRR
BRR

AKAMARU S'EST MIS À TREMBLER DE TOUS SES MEMBRES...
FWOP
FWOP
COMMENT ÇA SE FAIT...?

IL PEUT SENTIR LE CHAKRA DE NOS ADVERSAIRES.
SON INSTINCT L'AVERTIT DU DANGER, MAIS C'EST LA PREMIÈRE FOIS QUE JE LE VOIS DANS CET ÉTAT-LÀ...
FWOP

LE COMBAT QUI SE DÉROULE LÀ-BAS DOIT ÊTRE TERRIFIANT !

DOM

VOUS OSEZ NOUS DÉFIER EN FACE À FACE... VOUS NE MANQUEZ PAS DE CRAN POUR DES GAMINS QUI SORTENT DU BAC À SABLE...

MAIS VOTRE STUPIDE AUDACE VOUS PERDRA !

愛

ZAAM

QUOI ?! QUE DIS-TU, AKAMARU ...?!

GNUUU...

ILS SONT FOUS DE S'ATTAQUER À CES TYPES...
QUELLE MOUCHE LES A PIQUÉS ...?

C'EST VRAI QU'ILS ONT TOUS L'AIR TRÈS DANGEREUX...
QUELLE TENSION ...

QU'EST-CE QU'IL T'A DIT ?
QUE LE GRAND TYPE EST DANGEREUX...

*AME NO KUNI = PAYS DE LA PLUIE

TOUS CEUX QUI CROISERONT NOTRE CHEMIN...
... PÉRIRONT !

!
!!
?!
ET VOILÀ QUE ÇA RECOMMENCE ! C'EST POUR ÇA QUE JE DÉTESTE ME TROUVER DANS LA MÊME ÉQUIPE QUE LUI...

SHWAP
TANT PIS ! VOUS L'AUREZ VOULU !!
C'EST PARTI !!
STAP

バッ
FWA

FLAP
フワ FLAP
フワ
!!

ADIEU !!
NINPÔ !! LA PLUIE DES MILLE AIGUILLES !!!

パシュシュ
PWAAASHH
!!
QU'EST-CE QUE C'EST QUE ÇA ?!

FWASH
NUL NE PEUT ÉCHAPPER À CETTE PLUIE D'AIGUILLES QUI S'ABATTENT DE TOUTES PARTS !
GRÂCE À MON CHAKRA, JE CONTRÔLE LA MOINDRE D'ENTRE ELLES AFIN QU'ELLES TOUCHENT TOUTES, ¡IMMANQUABLEMENT, MA CIBLE !!

SHWAAAA

YAAAAH!!!

C'EST TOUT CE QUE TU SAIS FAIRE ?

SCRAP
SCRAP
サラ
サラ

CE… C'EST IMPOS-SIBLE…
IL EST INDEMNE …

UNGH !!
バッ
FWAP

ジュ
FWUUSH

STAK
カッ
カッ
STAK
STAK
カッ
ZWUP
ズッ

CE GENRE DE TECHNIQUE EST INEFFICACE CONTRE GAARA …
CES PAUVRES TYPES ONT EU LA MALCHANCE DE CROISER NOTRE ROUTE …

ZWUP
ズッ
APRÈS CETTE PLUIE D'AI-GUILLES …
À MON TOUR DE VOUS MONTRER …
… COMMENT JE FAIS TOMBER UNE PLUIE DE SANG !

59e ÉPISODE : TEMPÊTE DE SABLE !!

SLAAP
サラ
サラ
SLAAP
OUI... UNE ODEUR DE SANG...
DE QUOI ?!
UN MUR DE SABLE ?!
ET OUI... UNE PAROI DE SABLE...
L'ULTIME ARMURE !!!
GRÂCE À LA PUISSANCE PRODIGIEUSE DE SON CHAKRA, GAARA A LE POUVOIR DE CONTRÔLER LE SABLE QUE CONTIENT SA CALEBASSE.
IL PEUT LE SOLIDIFIER ET S'EN ENVELOPPER POUR SE PROTÉGER.
MAIS LE PLUS ÉTONNANT EST QUE CE SABLE PEUT AUSSI AGIR AUTOMATIQUEMENT...
...INDÉPENDAMMENT DE LA VOLONTÉ DE GAARA.
SLAAP
SLAAP
サラ
サラ

AUTREMENT DIT...
... GAARA EST INVULNÉRABLE À TOUTES LES ATTAQUES.

CE... C'EST IMPOSSIBLE !
MES AIGUILLES PEUVENT TRANSPERCER DES PLAQUES D'ACIER DE 5 MILLIMÈTRES D'ÉPAISSEUR !

UNGH !!
NOM D'UN...

愛
VOUS NE POUVEZ RIEN CONTRE LUI.

DASH
C'EST CE QU'ON VA VOIR !!

C'EST UN HOMME MORT...
SWUSH
FWASH
LE SARCOPHAGE DE SABLE !
SHWOK
AAA
WUP
!!
ZWUUP
GLAP
ZWUUP
ZWUP
ZWUP

ZAM
HNNG...
JE NE PEUX PLUS BOUGER...
URGH
SLAAP
SLAAP
!!
!!
!!
!!
!!

GAARA PEUT CONTRÔLER LE MOINDRE GRAIN DE SABLE...
... PRÉSENT SUR LE SOL OU DANS L'ATMOSPHÈRE.

STAK STAK

GZUM
QU... QU'EST-CE QUE... UURGH !!
JE POURRAIS TE COUVRIR LA BOUCHE POUR TE FAIRE TAIRE ET T'ÉTOUFFER, MAIS...
SWUP

... CE SERAIT TROP CRUEL.
FLAP

SWUUUP

!!
!!
ガクッ
SWUUUUP
KZUM
愛
ZUM
GWUTCH
グッ

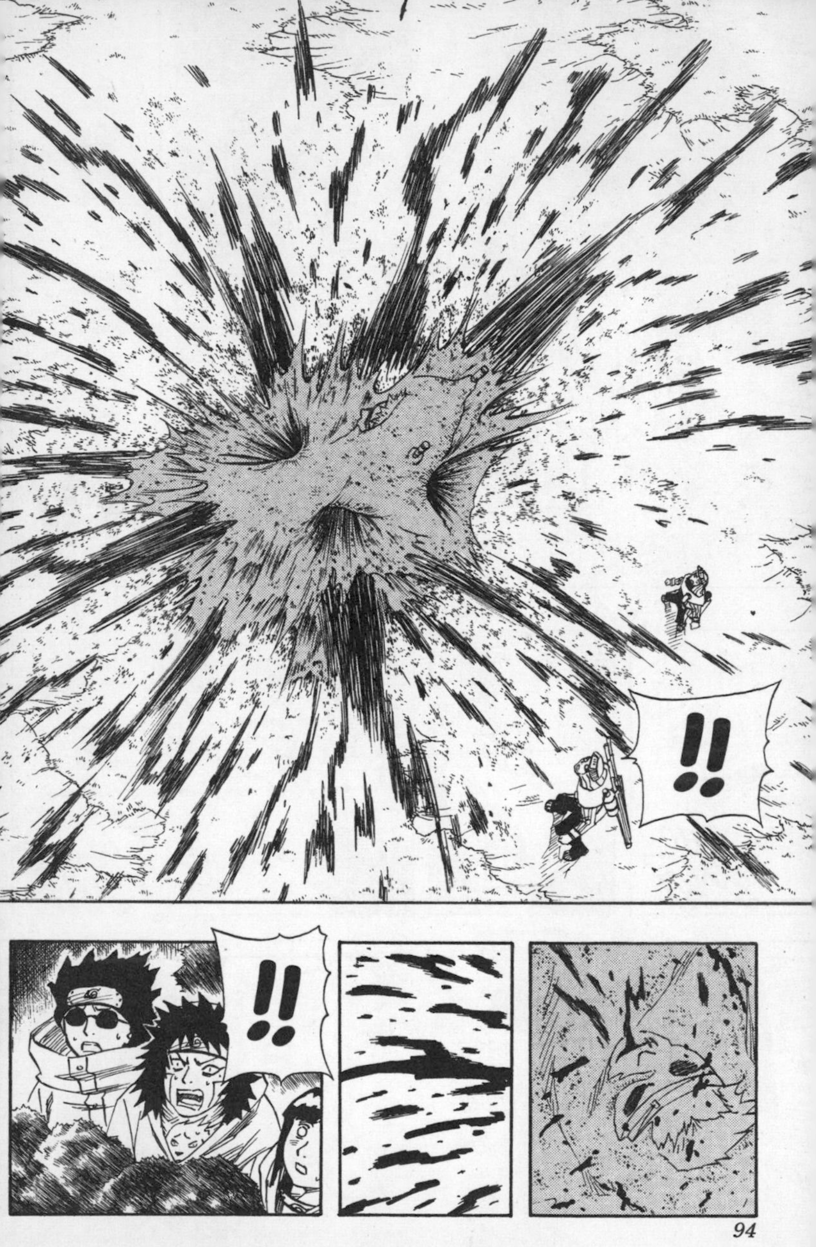

!!

LE TOMBEAU DU DÉSERT !!!
PLOC
ポタ
GYAA !!
PLOC
ポタ
ポタ
PLOC
PLOC
バタ
PLOC
バタ
バタ
PLOC

PLOC
ピチャ
RASSUREZ-VOUS, IL N'A PAS SOUFFERT.
IL N'EN A PAS EU LE TEMPS.
LES PERLES DE SANG DU DÉFUNT IMPRÈGNENT L'IMMENSITÉ DÉSERTIQUE...
... AMPLIFIANT AINSI LA FUREUR DU CARNAGE...
BRRLL
ビクッ
BRRLL
ビクッ
TE... TENEZ... VOILÀ NOTRE ROULEAU...
STUP
ZAM
ザッ
PITIÉ... LAISSEZ-NOUS LA VIE SAUVE...
ZUM
スッ
ZUM
スッ

ズッ
ZU
GYAAH !!
ZUUM
ズ
ズ
ZUM
NOOOON !!
ZUM
ズ
BYE BYE !
GNUP
グッ

OH, LA VACHE... ! FAUT SE TIRER D'ICI EN VITESSE !
S'ILS NOUS TROUVENT, ON EST MORTS !!
STAP

STAP
CIEL

WUP
ON A DE LA VEINE : C'EST JUSTEMENT LE ROULEAU QU'IL NOUS FALLAIT !

PARFAIT ! NOUS POUVONS ALLER À LA TOUR, MAINTE-NANT !
PLUS VITE ON SERA SORTIS DE CETTE FORÊT, MIEUX JE ME PORTERAI !

FERME-LA.

!

CE N'EST PAS FINI...
J'EN VEUX ENCORE...

ビクッ
GLUPS

AÏE... IL NOUS A REPÉRÉS ?!

ÇA SUFFIT, GAARA...

AURAIS-TU PEUR...
... SALE FROUSSARD ?

GLUPS

GAARA ! TOI, TU NE CRAINS RIEN, C'EST VRAI...
... MAIS POUR NOUS, CET ENDROIT EST DANGEREUX !
C'EST PAS LA PEINE DE RESTER ICI, MAINTENANT QU'ON A LE ROULEAU QUI NOUS MANQUAIT !
STAP

JE N'AI PAS D'ORDRE À RECEVOIR DE TOI, GROS TAS !
ZOM
ピキィ
...
SWUP
スッ

ÇA COMMENCE À BIEN FAIRE !
JE SUIS TON FRÈRE AÎNÉ !!!
ÇA NE TE FERAIT PAS DE MAL DE M'ÉCOUTER DE TEMPS EN TEMPS !
!
ガッ
GNAP

JE NE VOUS AI JAMAIS CONSIDÉRÉS COMME MA FAMILLE...
NE ME GÊNEZ PAS, SINON JE VOUS TUE.

PASH
パシィ
!!

ALLONS, GAARA...
NE DIS PAS DES CHOSES PAREILLES, HEIN ?
C'EST TA SOEUR QUI TE LE DEMANDE...
ZAAAM

!!
..

グッ
グッ
GNUU

GAARA!!!

PASH

C'EST BON, J'AI COMPRIS...
サラ サラ
SLAAP SLAAP

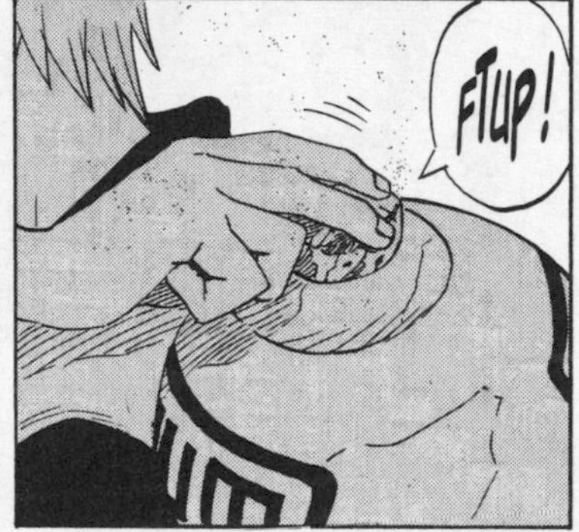
FTUP !

STAP
...

TSS... VOILÀ POURQUOI JE DÉTESTE LES MIOCHES...

GNUUUU...

HAA
HAA
QU'EST-CE QU'IL Y A ?

HAA
HAA
HAA
HAA
HAA
HAA
QUOI ?! IL FALLAIT LE DIRE PLUS CLAIREMENT, AKAMARU...
LA VACHE...

J'AVAIS MAL COMPRIS...
AKAMARU NE ME DISAIT PAS QUE LE GRAND TYPE ÉTAIT "DANGEREUX", MAIS QU'IL ÉTAIT "EN DANGER" !

JE NE SAIS PAS AU JUSTE QUI SONT CES TYPES DU VILLAGE CACHÉ DE SUNA NO KUNI...
MAIS UNE CHOSE EST SÛRE...
IL FAUT À TOUT PRIX LES ÉVITER !

LE PETIT MONDE DE MASASHI KISHIMOTO
Enfance 3

À L'ÉCOLE PRIMAIRE, J'AVAIS UN CARNET DANS LEQUEL JE M'AMUSAIS À DESSINER TOUT CE QUI ME PASSAIT PAR LA TÊTE. MÊME LORSQUE JE JOUAIS À CACHE-CACHE AVEC MES AMIS, JE M'OCCUPAIS À DESSINER DES TÊTES DE DORAEMON SUR LE SOL EN ATTENDANT QUE LE LOUP ME TROUVE.

UN JOUR, EN REGARDANT LA TÉLÉ, J'AI VU UN DESSIN ANIMÉ QUI M'A RENVERSÉ ! WOW ! LES DESSINS ÉTAIENT SI "CLASSE" ! TROP FORT ! CE DESSIN ANIMÉ N'ÉTAIT AUTRE QUE "GUNDAM". MON PETIT CARNET S'EST VITE REMPLI DE DESSINS DE MÉCHAS* DE LA SÉRIE : ZAK, GOUF, DOM, GM...

* "MÉCHA" DÉSIGNE TOUT CE QUI EST "MÉCANIQUE" DANS LE MANGA : ROBOT, ARME, VAISSEAU. DANS CE CAS-CI, L'AUTEUR FAIT RÉFÉRENCE AUX ROBOTS DE LA SÉRIE "GUNDAM".

UNE AUTRE FOIS, TOUJOURS EN REGARDANT LA TÉLÉ, J'AI VU UN AUTRE DESSIN ANIMÉ QUI M'A, AUSSI, RENVERSÉ ! LÀ ENCORE, LES DESSINS ÉTAIENT SI "CLASSE" ! JE N'AVAIS JAMAIS RIEN VU DE PAREIL : Dr SLUMP ! À COMPTER DE CE JOUR, JE ME SUIS MIS À DESSINER DES PORTRAITS D'ARALE PARTOUT, J'EN AI MÊME EXPOSÉ UN, DESSINÉ AVEC DES CRAYONS DE COULEUR, DANS UN CONCOURS D'ÉCOLIERS. JE ME SOUVIENS TRÈS BIEN QUE MA MÈRE AVAIT EU LA MALHEUREUSE INITIATIVE DE COLORIER LES LÈVRES D'ARALE EN ROUGE, COMME SI ELLE ÉTAIT MAQUILLÉE. C'EST LA PREMIÈRE FOIS DE MA VIE QUE J'AI PIQUÉ UNE CRISE DE COLÈRE PAREILLE.

60e ÉPISODE : LA DERNIÈRE CHANCE !!
RETROUVONS MAINTENANT NARUTO ET SES AMIS, LÀ OÙ NOUS LES AVIONS LAISSÉS...
SPLAAASH!
ŸAAAAHAAAA!!!
MULTI-CLONAGE !!
SPLASH
PLASH
PLASH
BLOU GLOU BLOU BLOU !!
BLOB BLOB
PLAASH PLAASH
FWISH

SPLATCH
スコ
STOK
ビチャ

POF
ボン
POF
ボン
HAA
HAA
HAA
HAA
HAA
HAA
HAA

IL FAUT QU'ON FASSE DES PROVISIONS. PRENDS-EN ENCORE TROIS.
CONTINUE !
!

ALLEZ, AU TRAVAIL ! NULLARD !
C'EST CREVANT, FIGURE-TOI !!
GRRR
ムキー
PLAASH
バシャ
FAIS-LE, TOI !!

SASUKE ! J'AI RASSEMBLÉ DU BOIS SEC ! IL NE MANQUE PLUS QU'UNE BILLE INCANDESCENTE POUR ALLUMER LE FEU !
STAP
タン

ALLEZ, PLUS QUE TROIS. DÉPÊCHE-TOI UN PEU !
HEY ! TE DÉFILE PAS COMME ÇA !
?
シュビ
SHWIP

FRITCH
パチ
パチ
FRITCH

4 JOURS SE SONT DÉJÀ ÉCOULÉS DEPUIS LE DÉBUT DE CETTE ÉPREUVE...
OUI...

ELLE A COMMENCÉ À 14 HEURES 30 EXACTEMENT.
IL NE NOUS RESTE DONC PLUS QUE 25 OU 26 HEURES ...

PLUSIEURS ÉQUIPES ONT DÉJÀ DÛ PARVENIR À LA TOUR...
CE QUI VEUT DIRE QUE...

RAÂÂÂH ! ELLES EN METTENT DU TEMPS À CUIRE, CES TRUITES !

SWUP
スッ
TERRE

C'EST CELLE-CI LA PLUS GROSSE ! ELLE EST POUR MOI !
ÇA COMMENCE À DEVENIR SÉRIEUX...
TERRE

60e ÉPISODE : LA DERNIÈRE CHANCE !!

RÉSULTAT DU VOTE DE POPULARIT
4E PLACE
MAÎTRE IRUKA
7 128 VOTES
10E PLACE
HINATA HYÛGA
553 VOTES
7E PLACE
GAARA DU DÉSERT
1 353 VOTES
72 733 VOTES
AU TOTAL !! MERCI
D'AVOIR ÉTÉ SI
NOMBREUX À PARTICIPER !!
11E PLACE ANKO MITARASHI 332 VOTES
12E PLACE NEJI HYÛGA 288 VOTES
13E PLACE KURENAI YÛHI 217 VOTES
14E PLACE MAÎTRE GAÏ 216 VOTES
15E PLACE OROCHIMARU 199 VOTES
16E PLACE IBIKI MORINO 174 VOTES
17E PLACE ASUMA SARUTOBI 165 VOTES
18E PLACE MASASHI KISHIMOTO 157 VOTES
19E PLACE INARI 156 VOTES
20E PLACE KONOHA-MARU 143 VOTES
21E PLACE KIBA INUZUKA 135 VOTES
22E PLACE KABUTO 110 VOTES
23E PLACE ZAKU, DOSU ET KIN 107 VOTES
24E PLACE TENTEN 83 VOTES
25E PLACE KYÛBI, LE RENARD À NEUF QUEUES 72 VOTES
26E PLACE TEMARI 71 VOTES
27E PLACE SHIKAMARU NARA 66 VOTES
28E PLACE KANKURÔ 62 VOTES
29E PLACE EBISU 55 VOTES
30E PLACE INO YAMANAKA 53 VOTES
5E PLACE
SAKURA HARUNO
3 055 VOTES
2E PLACE
NARUTO UZUMAKI
16 729 VOTES

HAA
HAA
ON A BEAU CHERCHER, ON NE TROUVE PRATIQUEMENT PLUS PERSONNE...
HAA
HAA
COMMENT ON VA FAIRE ?

LA PLUPART DES ÉQUIPES ONT DÉJÀ DÛ ATTEINDRE LA TOUR...
C'EST VRAI QUE ÇA FAIT DÉJÀ 4 JOURS ...
HAA
HAA

EN TOUT CAS...
... IL EST MIDI PASSÉ. FAISONS UNE PAUSE-DÉJEUNER.

RESTEZ ICI POUR REPRENDRE DES FORCES.
JE VAIS CHERCHER QUELQUE CHOSE À MANGER.
STAP
SYMPA ...

TERRE
地

DiS...
HMM ?

L'AUTRE ROULEAU, C'ÉTAIT ÉCRIT "CiEL" DESSUS, PAS VRAi ?
ET LES EXTRÉMiTÉS ÉTAiENT BLANCHES, Si JE NE ME TROMPE PAS...
HMM... JE SAiS PAS, JE FAiSAiS PAS TROP ATTENTiON QUAND L'EXAMiNATRiCE NOUS LES AS MONTRÉS...
MAiS POURQUOi TU ME DEMANDES ÇA, TOUT À COUP...?

SCRUT-T
!

NON ! NE ME DiS PAS QUE... !

Smile
TERRE

Crumch Crumch
ガツガツ

SI ÇA SE TROUVE...
... IL NE RESTE PLUS AUCUN ROULEAU DU CIEL...

...

TERRE
地

...
QU'EST-CE QUE TU VEUX DIRE, SAKURA ?

...
!

C'EST SIMPLE... SUR LES 5 JOURS QUE NOUS AVIONS POUR ACCOMPLIR CETTE ÉPREUVE, 4 SONT DÉJÀ PASSÉS...
SOIT PLUS DE 80 % DU TEMPS QUI NOUS ÉTAIT ATTRIBUÉ.

IL Y AVAIT 26 ÉQUIPES, 78 PARTICIPANTS AU TOTAL.
CELA SIGNIFIE QU'IL Y AVAIT, AU DÉPART, 13 ROULEAUX DE CHAQUE SORTE.
AU MAXIMUM, SEULES 13 ÉQUIPES POUVAIENT DONC RÉUSSIR CETTE ÉPREUVE.
?
OR, JE SUPPOSE QUE VOUS VOUS SOUVENEZ DE CE QUI S'EST PASSÉ.
OROCHIMARU A DÉTRUIT...
... LE ROULEAU DU CIEL QUE NOUS POSSÉDIONS.
CIEL

?

...
LA DESTRUCTION DE CE ROULEAU SIGNIFIE ...

... QUE LE NOMBRE D'ÉQUIPES ...
... POUVANT PASSER L'ÉPREUVE EST PASSÉ À 12 !

ET RIEN NE NOUS DIT QUE TOUS LES AUTRES ROULEAUX SONT ENCORE INTACTS...
IL SUFFIT QU'IL Y EN AIT UN QUI DISPARAISSE...
UNE PAIRE
... POUR QU'UN AUTRE DEVIENNE INUTILE.

TERRE
地

CIEL
天

TERRE
地

...

VOILÀ 2 JOURS QUE NOUS NOUS SOMMES SÉPARÉS DES AUTRES ASPIRANTS DE KONOHA.
CE TEMPS A ÉTÉ NÉCESSAIRE POUR NOUS REMETTRE DE NOS BLESSURES.
À PRÉSENT, NOUS DEVONS NOUS REMETTRE EN ROUTE.

MAIS QUOI QU'IL ARRIVE...

... LES PROCHAINS ADVERSAIRES QUE NOUS RENCONTRE-RONS...
... SERONT NOTRE DERNIÈRE CHANCE !!

SWUP

JE VAIS CHERCHER DE L'EAU.
STAP

...

SNAP

DIS, DIS ! SAKURA !

!

TU VEUX QUE JE TE DISE...
...COMMENT OBTENIR LE ROULEAU QUI NOUS MANQUE, SANS AVOIR À AFFRONTER PERSONNE ?!

HEIN ?!

ゴッ FWOP
ゴッ FWOP

SPLOM
KATON
NINDO

!
NARUTO ! NE ME DIS PAS QUE...

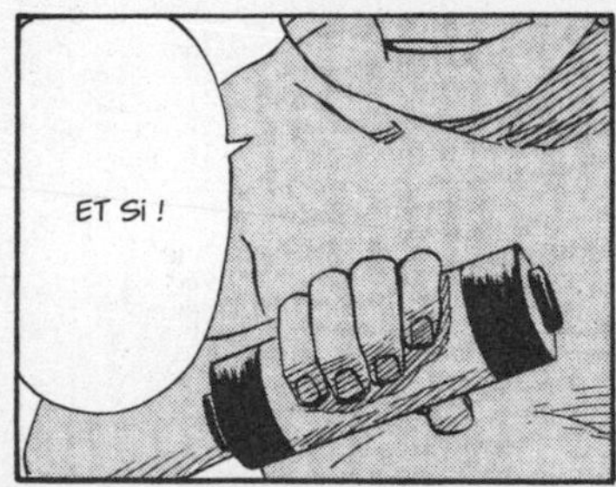
ET SI !

DES ROULEAUX, J'EN AI PLEIN MA BESACE !

DES MANUELS DE NINJUTSU, DES MANUELS D'EMPOISONNEMENT, ET J'EN PASSE...

IL SUFFIT D'EN MAQUILLER UN EN ROULEAU DU CIEL...

ET ALORS ?!
ÇA NE NOUS AIDE PAS !
TU VOIS BIEN QUE ÇA NE NOUS AVANCERAIT À RIEN DE FAIRE UN FAUX ROULEAU !
C'EST BIEN LA PEINE DE PRENDRE UN AIR INTELLIGENT POUR RACONTER DES ÂNERIES PAREILLES...
QUELLE ANDOUILLE !
Shnuf
しゅん

MAIS PEUT-ÊTRE ...
... QU'ON PEUT DEVINER DE QUOI IL S'AGIT ...

!

ET POUR ÇA...

NARUTO...
NE...

IL FAUT OUVRIR CE ROULEAU...

... POUR VOIR CE QUI Y EST ÉCRIT !

TERRE

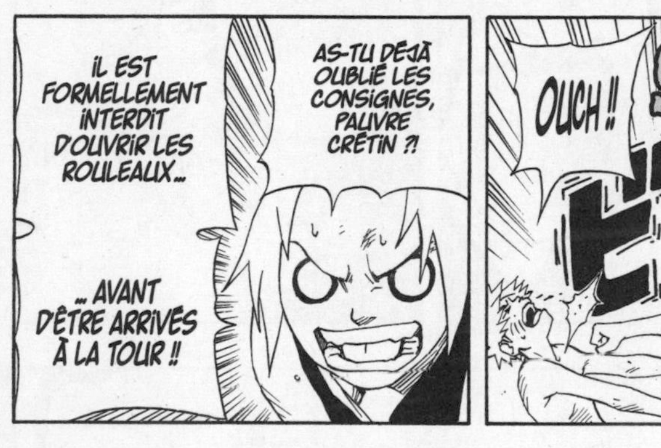

...
GLURB
ゴク
GLURB
ゴク

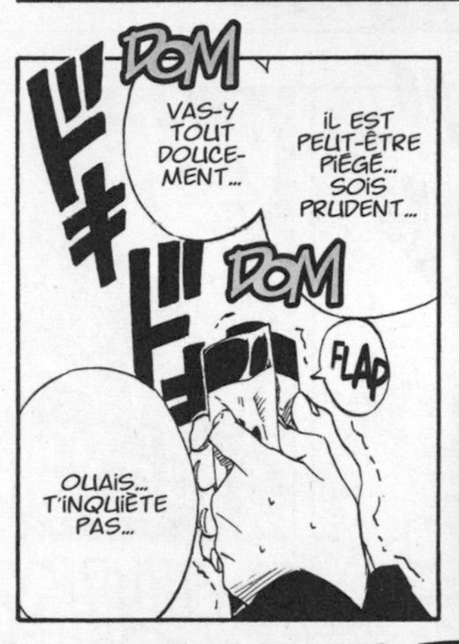
DOM
ドキ
IL EST PEUT-ÊTRE PIÉGÉ... SOIS PRUDENT...
VAS-Y TOUT DOUCE-MENT...
DOM
ドキ
FLAP
OUAIS... T'INQUIÈTE PAS...

FWAP
TERRE
地

GYAAAAAHH!!!
!!
ザッ
SWAP
ザッ
STAP
?!
HAA
HAA
HAA
HAA
ZWUUUM
ズゥーン

HEY ! RÉVEILLEZ-VOUS !!
QUE S'EST-IL PASSÉ ?!
LAISSE TOMBER... ILS SONT COMPLÈTEMENT K.O. !
COMME SI C'ÉTAIT LE MOMENT...!

...
ゴク
GLURB

GLURB
ゴク

FLAP

DOM
ドキドキ
DOM
ドキ
DOM

PASH
ZAM
NE FAIS PAS ÇA...
!!
AURIEZ-VOUS OUBLIÉ LES CONSIGNES ?

!!

!!

ZAM
!!
UN ENNEMI ?!

TSS... VOUS ÊTES VRAIMENT IRRÉCUPÉRABLES...
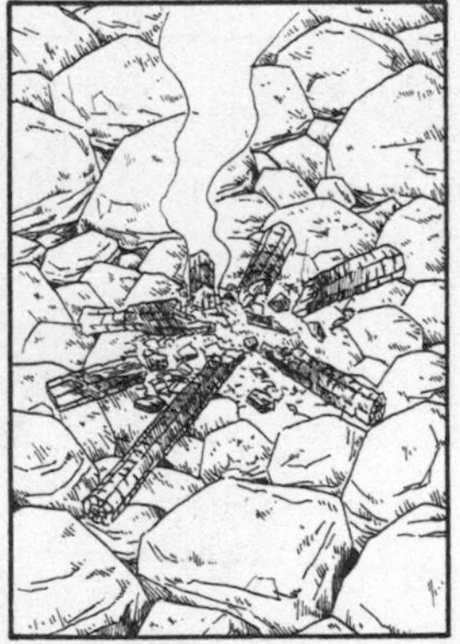

VOUS AVEZ EU DE LA CHANCE QUE JE PASSE PAR LÀ.
DE... DÉSOLÉE...
...

CEUX QUI NE RESPECTENT PAS LES RÈGLES...
... SONT IMPITOYA-BLEMENT ÉLIMINÉS.

LORS DU DERNIER EXAMEN, C'EST UNE FORMULE HYPNOTIQUE ...
... QUI ÉTAIT INSCRITE POUR PIÉGER LES PETITS MALINS QUI VOULAIENT TRICHER.
CEUX QUI ONT OUVERT LE ROULEAU AVANT L'HEURE, SONT TOMBÉS RAIDES, ENDORMIS AU BEAU MILIEU DE LA FORÊT DE LA MORT JUSQU'À LA FIN DE L'ÉPREUVE...

DIS-MOI... KABUTO, C'EST BIEN ÇA...?
QUE FAIS-TU TOUT SEUL DANS LE COIN ?

RASSURE-TOI, JE N'EN AI PAS APRÈS VOTRE ROULEAU.

JE SAIS BIEN.
TU AURAIS PU FACILEMENT L'ARRACHER DES MAINS DE NARUTO TOUT À L'HEURE.

QUOI ?!

BON, JE VOUS LAISSE...

STAP

PAS SI VITE !!

BATS-TOI...

COOL...

TERRE

61e ÉPISODE
LA VOIE À SUIVRE !!

...
ME BATTRE CONTRE TOI...?

SASUKE!!!
QU'EST-CE QUI TE PREND DE DIRE ÇA ! ÇA VA PAS, LA TÊTE ?!

...
TU N'AS PAS L'AIR DE PLAISANTER...

DÉSOLÉ, MAIS...
... IL NE NOUS RESTE QUE TRÈS PEU DE TEMPS.

ARRÊTE, SASUKE !!
KABUTO VIENT DE NOUS SAUVER !!
SASUKE... MOI AUSSI, JE PENSE QUE...
FERMEZ-LA !!

...

SASUKE...
NON MAIS ! POUR QUI TU TE PRENDS ?!

...

NOUS N'AVONS PAS LE CHOIX.

JE VOUS L'AI DÉJÀ DIT !
C'EST LA DERNIÈRE CHANCE QU'IL NOUS RESTE DE PASSER CETTE ÉPREUVE !
SWUP

TU
BLUFFES.

!

!

!!

COMMENT
ÇA...?

TU N'ES PAS
SI DÉTERMINÉ
QUE TU VEUX
LE FAIRE
CROIRE...

.....!!

SI TU ÉTAIS
VRAIMENT SI
DÉSESPÉRÉ
QUE ÇA...
... TU
N'AURAIS
PAS PRIS
LA PEINE
DE ME
DÉFIER.

AU LIEU
DE ME
DONNER UN
AVERTIS-
SEMENT...
... IL T'AURAIT
SUFFIT DE
M'ATTAQUER
PAR SURPRISE.

C'EST AINSI QUE FONT LES NINJAS.
FWIP
......!!

HMM...
C'EST PROFOND, ÇA...
POUR LA PEINE...
... JE VAIS VOUS INDIQUER LA VOIE À SUIVRE.
!
!
...
TU ME PLAIS BIEN, DANS LE FOND.

MAIS IL NE FAUT PAS RESTER LÀ.
L'ODEUR DE VOTRE FEU DE BOIS ET DU POISSON GRILLÉ EST TRÈS FORTE.
ELLE VA ATTIRER DES FAUVES ET DES ENNEMIS.
TSS...
SWASH

ZAAM

ALORS, IL RESTE ENCORE DES ADVERSAIRES ?
BIEN SÛR.

IL SUFFIT DE RÉFLÉCHIR UN PEU.
!

MAINTENANT QUE LE DERNIER JOUR DE L'EXAMEN EST VENU, C'EST LÀ QUE TOUT LE MONDE VA SE RENDRE...
... AVEC LES ROULEAUX, BIEN SÛR.
STAP

MAIS OUI !
C'EST BIEN SÛR ! UNE EMBUSCADE !!!

...?

TOUT CE QUE NOUS AVONS À FAIRE ...
... C'EST ATTAQUER UNE ÉQUIPE QUI SE REND À LA TOUR EN POSSESSION DES DEUX ROULEAUX !
AH ! ÇA Y EST, J'AI COMPRIS !!!

...
HE HE

C'EST ÇA, SAUF QUE TU OUBLIES 2 CHOSES IMPORTANTES.
AH BON ?

PREMIÈREMENT, VOUS N'ÊTES PAS LES SEULS À AVOIR CETTE IDÉE.

...!

D'AUTRES, DANS LA MÊME SITUATION QUE VOUS, ONT SANS DOUTE DÉJÀ TENDU LEURS PIÈGES.

ALORS, ÇA VEUT DIRE QU'IL Y A PLEIN DE TYPES...
... QUI VONT NOUS ATTAQUER !
PARFAIT ! ÇA DONNE UN PEU PLUS DE PIQUANT À L'AFFAIRE ! CE SERAIT TROP FACILE AUTREMENT !

ILS L'AURONT VOULU ! NOUS ALLONS LES ÉCRASER ET NOUS EMPARER DU ROULEAU MANQUANT !
IL FAUT EN FINIR AVEC CETTE ÉPREUVE !!
ET QUELLE EST L'AUTRE CHOSE QUE J'OUBLIAIS ...?

C'EST QUE DANS CE GENRE D'EXAMEN, IL Y A TOUJOURS CE QU'ON APPELLE DES "COLLECTIONNEURS"...

DES "COLLECTIONNEURS" ?
LA FORÊT DE LA MORT EST UN ENDROIT TERRIBLE, COMME VOUS AVEZ PU LE REMARQUER.
CET ENVIRONNEMENT PERTURBE CERTAINS CANDIDATS QUI NE PEUVENT ÊTRE RASSURÉS, MÊME UNE FOIS QU'ILS SONT ARRIVÉS À PROXIMITÉ DE LA TOUR.

CERTAINS DÉCIDENT DE RASSEMBLER DES ROULEAUX SUPPLÉMENTAIRES ...

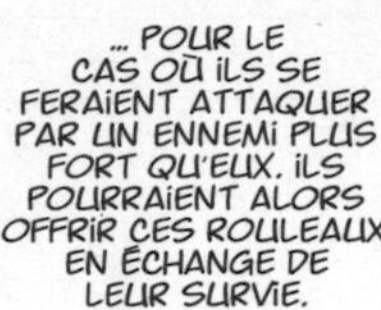
... POUR LE CAS OÙ ILS SE FERAIENT ATTAQUER PAR UN ENNEMI PLUS FORT QU'EUX. ILS POURRAIENT ALORS OFFRIR CES ROULEAUX EN ÉCHANGE DE LEUR SURVIE.

D'AUTRES ESPÈRENT QU'EN OFFRANT UN ROULEAU À UNE ÉQUIPE ORIGINAIRE DU MÊME VILLAGE QU'EUX...
... ILS POURRONT OBTENIR DES RENSEIGNEMENTS IMPORTANTS QUI LES AIDERONT POUR LA SUITE DU TEST.

ENFIN, IL Y A CEUX QUI DÉROBENT DES ROULEAUX AFIN DE RÉDUIRE LES CHANCES DES AUTRES ÉQUIPES...
... ET AINSI, DE DIMINUER LE NOMBRE DE CONCURRENTS SÉRIEUX POUR LES ÉPREUVES SUIVANTES.

PAS BESOIN DE VOUS PRÉCISER QUE...
... CEUX-LÀ NE S'EMBARRASSENT D'AUCUN SCRUPULE.
CE SONT LES PIRES !
GWAP

STAP
.....!!
CLUPS
.....!!

JE VOIS...
JE COMPRENDS ENFIN POURQUOI TU T'ES MONTRÉ DEVANT NOUS...

....!

TU AS PEUR, PAS VRAI ?

TOUT JUSTE...

QU'EST-CE QU'ON ATTEND ?! ALLONS-Y !!

!!

!!

UNE ATTAQUE ?! DÉJÀ ?!

PAS

FWASH

SWISH

JE L'AI !!

SCROUITCH
SHtUP
ピク GWIP
GWIP ピク
GWIP ピク
!!
...
!!
!

UN MILLE-PATTES... IL M'A FAIT PEUR...
PFYUU...
WAAH... IL EST ÉNORME...
BEURK ! C'EST ÉCOEURANT, TOUTES CES PATTES QUI GIGOTENT !

NARUTO...
OUAIS ?

À PARTIR DE MAINTENANT, IL VA FALLOIR QUE TU TE CONTRÔLES ET QUE TU ARRÊTES DE BEUGLER.
FWIP

DANS CETTE JUNGLE, LE MOINDRE BRUIT PEUT NOUS TRAHIR.
SI TU CONTINUES À FAIRE TANT DE RAFFUT, TU VAS AMEUTER TOUS LES ENNEMIS.
ET CEUX QUI SE TAPISSENT DANS LE COIN, NE SONT PAS DES TENDRES !

NOUS ALLONS DONC AVANCER AVEC PRÉCAUTION...
... EN NOUS EFFORÇANT D'ÊTRE LE PLUS DISCRETS POSSIBLE.

D'ACCORD!!!
ゴク
GLUPS

OK...

ALLONS-Y.

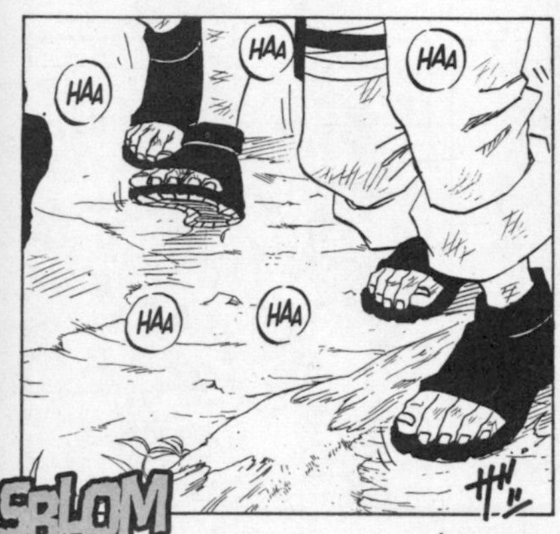
HAA
HAA
HAA
HAA
HAA
ザッ

フラ...
FLOM
HAA
HAA
HAA

SBLOM
ドサッ
JE N'EN PEUX PLUS ...

SAKURA!!!
ON A BEAU MARCHER...
... ON NE SE RAPPROCHE TOUJOURS PAS DE LA TOUR...
HAA
HAA
HAA
HAA

...
... ALORS QU'ELLE EST JUSTE DEVANT NOS YEUX...
C'EST ÉTRANGE ...
HAA
HAA
HAA
HAA

ON DIRAIT BIEN QUE...
... NOUS SOMMES TOMBÉS DANS UN PIÈGE...

REGARDEZ LÀ-BAS !

!!
HAA

HEY ! MAIS... C'EST LE...

* ART DE L'ILLUSION.

ILS AVAIENT PROBABLEMENT L'INTENTION D'ATTENDRE QUE...
... NOUS SOYONS COMPLÈTEMENT ÉPUISÉS AVANT DE NOUS TOMBER DESSUS.

HAA
HAA
HAA
HAA

ALORS, ON PEUT DIRE QU'ILS ONT BIEN RÉUSSI LEUR COUP...
HAA
HAA
HAA

EXACT ! ILS NE DEVRAIENT DONC PAS TARDER À SE MONTRER...
FWIP

!!
!!

WOW...

ZUUM

ズズ

ZWAAASH

ZUUM

LE PETIT MONDE DE MASASHI KISHIMOTO

Enfance 4

VERS LE MILIEU DE L'ÉCOLE PRIMAIRE, J'AI PRIS PLAISIR À FABRIQUER TOUTES SORTES DE CHOSES DE MES PROPRES MAINS. AU DÉBUT, JE M'AMUSAIS SIMPLEMENT À UTILISER DE LA PÂTE À MODELER POUR FAIRE LES JOUETS QUE MES PARENTS NE POUVAIENT PAS M'ACHETER, MAIS JE NE ME SUIS PAS SATISFAIT DE ÇA TRÈS LONGTEMPS.

JE ME SUIS ALORS LANCÉ DANS LES MAQUETTES DE MÉCHAS DE GUNDAM. JE M'EN FAISAIS OFFRIR POUR LE JOUR DE L'AN ET JE PASSAIS MON TEMPS À LES ASSEMBLER. ENSUITE, ÇA A ÉTÉ LA MODE DES MODÈLES RÉDUITS TÉLÉCOMMANDÉS. ÇA AUSSI, J'AI SAUTÉ DESSUS.

J'AVAIS BAPTISÉ MA VOITURE "ÉLÉPHANT", ET J'AVAIS MÊME COLLÉ DESSUS UN AUTOCOLLANT QUI EN REPRÉSENTAIT UN. J'EN AI FAIT DES COURSES AVEC CETTE VOITURE... (NOUS ÉTIONS TOUS DINGUES D'UN MANGA INTITULÉ "RAJIKON BOY"). C'ÉTAIT UN PAJERO. CE N'ÉTAIT DONC PAS UN MODÈLE TRÈS RAPIDE, ET IL NE SUPPORTAIT PAS LA COMPARAISON AVEC LES VOITURES DE MES COPAINS. ÉNERVÉ DE ME FAIRE BATTRE CHAQUE FOIS, J'AI VOULU LA CUSTOMISER AVEC UN KIT FAIT POUR UN AUTRE MODÈLE. POUR L'ADAPTER, J'AI DÛ FAIRE FONDRE LA COQUE EN PLASTIQUE DE MON PAJERO. BIEN SÛR, JE FAISAIS ÇA DANS UNE PIÈCE FERMÉE, SANS SAVOIR QUE JE RESPIRAIS DES GAZ TOXIQUES, MAIS ENFIN, J'ÉTAIS CONTENT D'AVOIR RÉUSSI À FIXER MON KIT ! HÉLAS, MA JOIE N'A PAS DURÉ LONGTEMPS...

J'AVAIS RÉUSSI À FIXER LE KIT SUR LA COQUE, MAIS JE N'AVAIS PAS PENSÉ QU'UNE FOIS MODIFIÉE, ELLE NE S'ADAPTERAIT PLUS SUR LE CHÂSSIS... MA VOITURE PENCHAIT D'ENVIRON 10 DEGRÉS. J'ÉTAIS VRAIMENT DÉGOÛTÉ D'AVOIR RATÉ MON COUP, MAIS J'AI ESSAYÉ DE ME PERSUADER QUE L'IMPORTANT, CE N'ÉTAIT PAS LE LOOK DE LA VOITURE, MAIS SES PERFORMANCES... MALHEUREUSEMENT, J'AI CONTINUÉ À ME FAIRE BATTRE DANS TOUTES LES COURSES.

NE ME LAISSANT PAS ABATTRE PAR CETTE DOUBLE DÉCEPTION, JE DÉCIDAI D'ÉQUIPER MON PAJERO D'UN MOTEUR SUPER PUISSANT, NOMMÉ "BLACK MOTOR ANGELS". AVEC ÇA, JE NE POUVAIS PLUS PERDRE ! JE ME SUIS DONC EMPRESSÉ DE DÉFIER MES AMIS, MAIS MANQUE DE BOL, LE MOTEUR ÉTAIT SANS DOUTE TROP PUISSANT ET LA VOITURE S'EST MISE À FUMER... HS*, LE PAJERO... IL A FINI SUR UNE ÉTAGÈRE DANS MA CHAMBRE. J'AI VRAIMENT REGRETTÉ D'AVOIR ACHETÉ CE KIT CUSTOM, JE M'EN SOUVIENS TRÈS BIEN.

*HS = HORS SERVICE

62e ÉPISODE :
PRIS AU PIÈGE !!

ZOM ZOM
ゾロ
ゾロ
DES CLONES...
ILS SONT NOMBREUX...
(HAA)

QUE... QU'EST-CE QUE C'EST QUE ÇA ?!
(HAA)
ゾロ
ゾロ

HÉ HÉ...
VOUS ÊTES FAITS !

(HAA)
!!

DASH
FERMEZ-LA !!
DASH
SDOM
BRAVO, NARUTO !!!
ILS N'ONT PAS L'AIR COSTAUD !!!

QUOi ?!

!!

!!

BLAAM
UNGH !

KZZZM
QUELLE EST CETTE TECHNiQUE ?!

WHP
WUUP

!!

SHARINGAN !!!
JE DOIS PERCER CE MYSTÈRE !
SWISH
!!
NARUTO !!!
STAK
!!
STAK
!!
STAK
SWUSH
PWOOSH

SASUKE!!!
SWISH

WASH
!!
ATTENTION !!!
DZUM
!!

ÇA VA ?
UUNGH !
SWUP
GRR

HAA
HAA

DONNEZ-NOUS VOTRE ROULEAU...

PAS DE DOUTE... CE KUNAI EST BIEN RÉEL...
CE N'EST PAS UNE ILLUSION.

KABUTO A ÉTÉ BLESSÉ ! CE SERAIT DONC DES CLONES ?!
HAA
MAIS C'EST IMPOSSIBLE ! LES CLONES DISPARAISSENT LORSQU'ON LES FRAPPE ! CE SONT DES ILLUSIONS ALORS ?! J'Y COMPRENDS PLUS RIEN !!
HAA

TANT PIS !
ARRÊTE ! C'EST PEINE PERDUE !!
?!
WAP
DASH

HAA
CE SONT DES ILLUSIONS...
HAA
LES VÉRITABLES ENNEMIS UTILISENT UNE TECHNIQUE DE GENJUTSU...
HAA

M... MAIS POURTANT...
KABUTO A BEL ET BIEN ÉTÉ BLESSÉ...

ÉCOUTEZ SASUKE.
IL A RAISON.
LES ENNEMIS DOIVENT SE TENIR À L'ABRI QUELQUE PART ET ILS ACCAPARENT NOTRE ATTENTION AVEC CES CLONES FICTIFS POUR MIEUX NOUS ATTAQUER DE LEUR CACHETTE !
SIMPLEMENT, ILS S'ARRANGENT POUR NOUS FAIRE CROIRE QUE LES ASSAUTS VIENNENT DES CLONES...

ALORS, DÉPÊCHONS-NOUS DE DÉNICHER CEUX QUI LANCENT LES KUNAIS !
ET EXPLOSONS-LEUR LA TÊTE !!
JUSTEMENT, C'EST LE PROBLÈME... ILS DISSIMULENT LEURS ATTAQUES...
... DE FAÇON À CE QUE NOUS NE PUISSIONS PAS LES REPÉRER.
ÇA FAIT PARTIE DE LEUR STRATÉGIE.

EN RÈGLE GÉNÉRALE, CE SONT CEUX QUI MAÎTRISENT MAL LES TECHNIQUES DE TAIJUTSU ET DE COMBAT AU CORPS À CORPS...
HAA
... QUI UTILISENT CE GENRE DE STRATAGÈME.
HAA
IL EST TRÈS PROBABLE QUE...
... NOS ENNEMIS NE SE MONTRERONT PAS À DÉCOUVERT AVANT QUE NOUS NE SOYONS COMPLÈTEMENT HORS D'ÉTAT DE NOUS BATTRE.
HAA
HAA
HAA
...

POUR LE MOMENT ...
... NOUS NE POUVONS RIEN FAIRE D'AUTRE QU'ESQUIVER !!!

OK...
!!
S'ILS VEULENT JOUER À ÇA...
SWUP

LA NUIT VA ÊTRE LONGUE... HÉ HÉ HÉ...

JE SUIS CURIEUX DE VOIR COMBIEN DE TEMPS ILS VONT TENIR...

BON SANG ! ÇA NE FINIRA DONC JAMAIS ?!

FWAP
HAA
HAA
HAA
ILS L'AURONT VOULU !!!

HNNGG
ARRÊTE, NARUTO ! NE GASPILLE PAS TON CHAKRA POUR RIEN !
ÇA NE SERT À RIEN DE LES ATTAQUER !

Smile

SI J'ÉCLATE TOUS CES CLONES FICTIFS EN MÊME TEMPS...
... NOS AGRESSEURS NE POURRONT PLUS LANCER DE KUNAIS SANS RISQUER DE TRAHIR LEUR POSITION !!

ZAZAM
MULTI-CLONAGE !!!

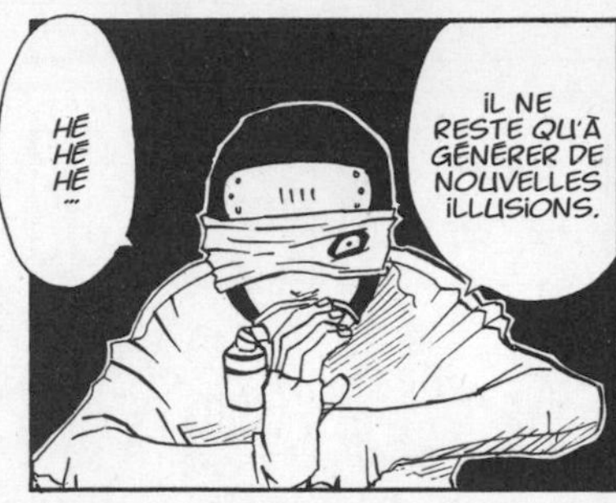

IL NE RESTE QU'À GÉNÉRER DE NOUVELLES ILLUSIONS.
HE HÉ HÉ ...

!!

OH ! NON !

...!!

Zyuuuus
ズズズズズズ
HAA
HAA
HAA
HAA
HAA

SBLADAM
POF
POF
POF
POF
POF
POF

WAASH
HAA
!!
HAA
HAA
HAA

VOUS ÊTES À NOTRE MERCI, MAINTENANT...
L'HEURE DE LA VENGEANCE A SONNÉ !!
FWUP

COMME ON SE RETROUVE...
STAP
C'EST TOI QUI M'AS PLANTÉ UN KUNAI DANS L'ÉPAULE GAUCHE...

HAA

HAA
HAA
HAA

HAA

C'EST VOUS QUI ÊTES À NOTRE MERCI.
PARFAIT, NARUTO ! ÇA A FONCTIONNÉ !
DOM
QUE... QUOI ?!
C'EST IMPOSSIBLE !!!

?!
POF
ボン
POF
ボン
VOUS VOILÀ ENFIN SORTIS DE VOTRE CACHETTE !!
BANDE DE CRÉTINS !
POF
ボン
HAA
HAA
HAA
HAA

HE HE !

CE GAMIN... ¡BON SANG...!
!!
MES CLONES ÉTAIENT AU COEUR DU STRATAGÈME !
EN LES COMBINANT AVEC UN SORT DE MÉTAMORPHOSE, J'AI PU ME FAIRE PASSER POUR LES TROIS AUTRES !
POF
SWUP
POF

ET NOUS AVONS PROFITÉ DE L'INSTANT OÙ LES CLONES DE NARUTO DISPARAISSAIENT, POUR NOUS CACHER DANS LES FOURRÉS.
VOUS ÊTES FORTS EN ILLUSION, MAIS VOUS N'AVEZ VU QUE DU FEU À CE PETIT TOUR DE PASSE-PASSE !
GLOMB
....!!
HAA
HAA
HAA

NE FORCE PAS, NARUTO. TU AS UTILISÉ BEAUCOUP DE CHAKRA.
JE PRENDS LA SUITE DES OPÉRATIONS EN MAIN.

QU'EST-CE QUE...
!

SDAM
!!
SBLAM
WAAAAH!!!

!
...

HAA
AH NON ! Y EN A MARRE QUE TU ME PIQUES TOUJOURS LE BEAU RÔLE !!
Gwosh
HAA
HAA

63e ÉPISODE : UN NOUVEAU VISAGE !!

NARUTO...

QUELLE QUANTITÉ DE CHAKRA... C'EST PHÉNOMÉNAL...

SWUP

IL VIENT D'EXÉCUTER UN MULTI-CLONAGE COMBINÉ AVEC UNE TECHNIQUE DE MÉTAMORPHOSE. C'EST UN ENCHAÎNEMENT ÉPUISANT...

HAA

!

SWUP

... ET POURTANT, IL A ENCORE LA FORCE DE SE BATTRE... APRÈS 5 JOURS PASSÉS DANS CETTE FORÊT, QUI PLUS EST...

HAA

!!!
ZWUSH
NINPÔ ! CLONES DE BRUME !!
UN MULTI-CLONAGE ...?
NON... ON DIRAIT DE SIMPLES CLONES...
ÇA DOIT CACHER QUELQUE CHOSE, SOIS PRUDENT !
HAA
HAA
PEUH... SI CE NE SONT QUE DE BANALS CLONES, IL SUFFIT DE TROUVER LES ORIGINAUX ...
IL N'Y A QU'À FONCER DANS LE TAS JUSQU'À METTRE LA MAIN DESSUS !
HAA
HAA
T'ES VRAIMENT LE ROI DES PLANS STUPIDES...
K-Z-ZM
...
!
TE MÊLE PAS DE ÇA, TOI !
DASH

ZAZAM

YAAHAAAA!!!

SWOP
!!
STAP
ZUT ! CE N'ÉTAIT PAS LE BON...!

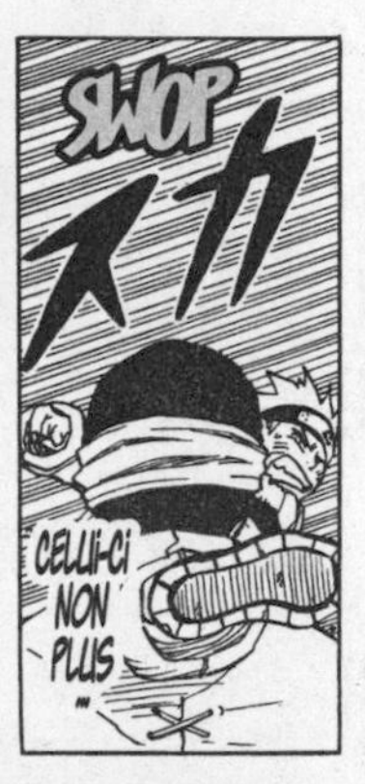
SWOP
CELUI-CI NON PLUS...

SWOP
ENCO-RE LOUPÉ...

STAP
STAP
ARRÊTE, NARUTO !

IL N'Y A QUE DES CLONES...
SERAIT-CE UNE NOUVELLE ILLUSION ...?!

HAA
HAA
...
CE SONT MES DERNIÈRES RÉSERVES DE CHAKRA...

SHARINGAN!!!

GWIIISH
WHAM
UUURGH!!!
SASUKE!!!
STAM
!
KZUM

LA MARQUE RECOMMENCE À S'ÉTENDRE !!!
ÇA SUFFIT, SASUKE ! CESSE D'UTILISER TON SHARINGAN !!
!
HAA
NE JAMAIS SE LAISSER DISTRAIRE PENDANT UN COMBAT !
FWISH
ZAM

UNGH
...

GWAP
ガバッ
KABUTO...!

SBLAM
ドサ

VOUS ALLEZ ME PAYER ÇA !!
DU CALME, NARUTO !!!

!!

NE GASPILLE PAS TES FORCES EN FRAPPANT DANS LE VIDE... ILS NE SONT PAS CACHÉS PARMI LES CLONES...
HAA
HAA

ALORS, OÙ SONT-ILS ?! ILS VIENNENT BIEN D'ATTAQUER, NON ?!
DES CLONES SANS CONSISTANCE N'AURAIENT PAS PU BLESSER KABUTO !!

JE N'AI PLUS ASSEZ DE FORCES POUR UN NOUVEAU MULTI-CLONAGE ...
FLUM
PFF...

MERCI, JE SAIS !
MAIS ILS UTILISENT UNE TECHNIQUE SPÉCIALE !!!

IL EST TEMPS D'EN FINIR CETTE FOIS... COOL !

!!

ズズッ
ZWUUSH

!!

J'AI COMPRIS !! ILS SE SONT TAPIS SOUS TERRE GRÂCE À UNE TECHNIQUE DOTON ET ILS SURGISSENT DES OMBRES DE LEURS CLONES AU MOMENT D'ATTAQUER !!!

KZUM
ピクッ
KZUM
ピクッ
KZUM
ピクッ

SCRUTT
ギロ

HMM ?

WUP
イッ

SDOM
UUURYAAAAAH!!!
ドガ

SBLADAM

HAA
HAA
"NE JAMAIS SE LAISSER DISTRAIRE PENDANT UN COMBAT" !
HE HÉ !
HAA

HE HÉ...
SUPER, NARUTO !! BRAVO !
POF

...

MERCI, NARUTO... TU M'AS SAUVÉ LA VIE !
PFYUAAA...

!

TIENS...
C'EST QUOI, CETTE MARQUE... ? TU ES BLESSÉ !

FWUP
ズッ
C'EST RIEN, T'OCCUPE PAS...

JE L'AI ! JE L'AI !
LE ROULEAU DU CIEL ! JUSTEMENT CELUI QU'IL NOUS FALLAIT !!

COOL...

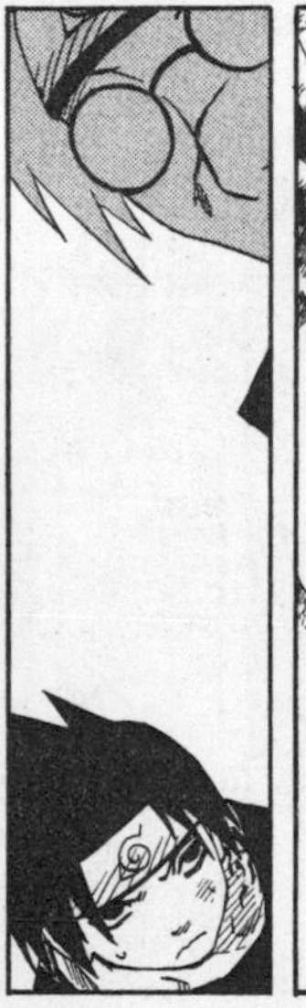

CE TYPE NOUS CACHE QUELQUE CHOSE...

FWSSH
ガサ

OH... C'EST VOUS...
TU ES EN RETARD, KABUTO.

!
DÉSOLÉ, J'AI EU UN PETIT CONTRETEMPS ...

HEY ! DIS, DIS ! C'EST GRÂCE À TON AIDE QU'ON A RÉUSSI À RÉUNIR LES 2 ROULEAUX !
MAIS NON, C'EST PARCE QUE VOUS AVEZ PERSÉVÉRÉ JUSQU'AU BOUT !
SURTOUT TOI, NARUTO. TU AS CARTONNÉ...

...

BON, NOUS ENTRONS PAR CETTE PORTE.
BONNE CHANCE POUR LA SUITE DE L'EXAMEN !!!
OUAIS ! VOUS AUSSI !

TOUTES LES INFORMATIONS CONCERNANT SON COMPORTEMENT DURANT CETTE ÉPREUVE SONT INSCRITES SUR CETTE FICHE.

ELLE VOUS SERA SÛREMENT UTILE...

SHINOBI

HÉ HÉ... VOUS VOUS INTÉRESSEZ VRAIMENT À LUI, N'EST-CE PAS...

ÇA NE RÉPOND TOUJOURS PAS À MA QUESTION ...

スッ

SWUP

MAîTRE OROCHIMARU !!!
TU ES MON ESPION, KABUTO...

J'AIMERAIS
CONNAITRE
TON AVIS.

JE DOUTE
QUE VOUS
EN AYEZ
RÉELLEMENT
BESOIN.

PUISQUE,
AU FINAL,
C'EST VOUS,
ET VOUS
SEUL, QUI
DÉCIDEZ...
SWUP

SWUP

POF
HUM...
C'EST TON
INTELLIGENCE
QUE J'APPRÉCIE
LE PLUS
CHEZ TOI...

BON
TRAVAIL...

BEN... Y A PERSONNE...

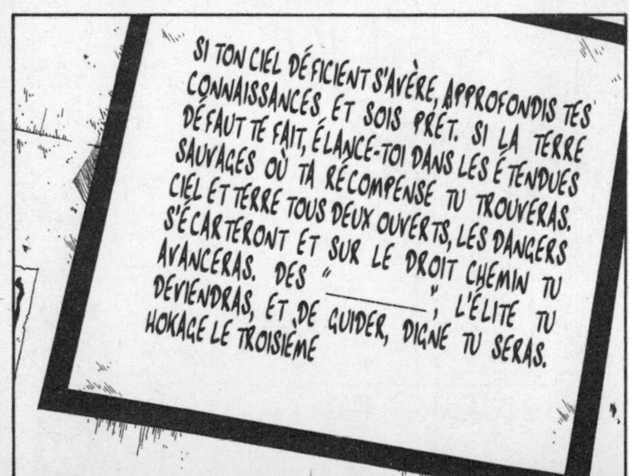

"SI TON CIEL DÉFICIENT S'AVÈRE..."
QU'EST-CE QUE C'EST QUE CE CHARABIA ...!

NT S'AVÈRE, APPROFO
ET SOIS PRÊT. SI
LANCE-TOI DANS LES
RÉCOMPENSE TU
US DEUX OUVERTS, L
ET SUR LE DROIT
DES "________",
ET DE GUIDER, DIG
IL MANQUE UN MOT...

JE PENSE QUE CE TEXTE EST EN RAPPORT AVEC LES ROULEAUX.
À MON AVIS, C'EST ICI QUE NOUS DEVONS LES OUVRIR...

SWUP
ズッ

ドキ ドキ
DOM

GLURB
ゴク

DOM
FLAP
BON ! ET BIEN, ALLONS-Y !!!
FLAP

Ce manga est publié dans son sens
de lecture originale, de droite à gauche.

Ici, vous êtes donc à la fin.

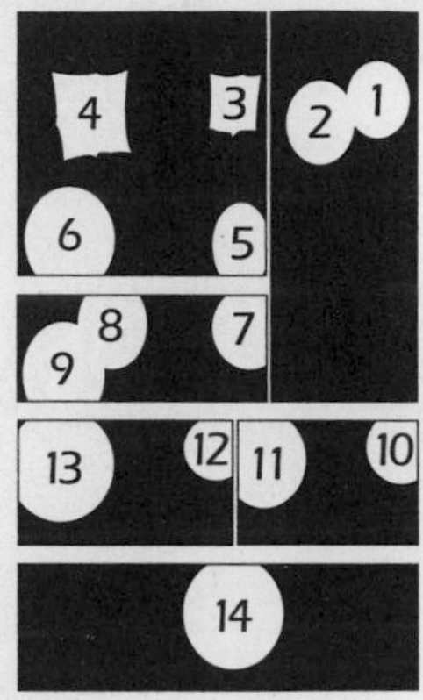

NARUTO

7, avenue P-H Spaak - 1060 Bruxelles
21e édition

Achevé d'imprimer en avril 2022 • Dépôt légal : juillet 2003
d/2003/0086/238 • ISBN 978-2-8712-9535-8

Traduit et adapté en français par Sylvain Chollet
Conception graphique : Les Travaux d'Hercule
Adaptation graphique : Éric Montésinos

Imprimé et relié en Italie par GRAFICA VENETA
Via Malcanton 2, 35010 Trebaseleghe (Pd)

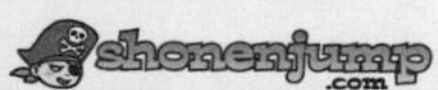